CUENTOS

NUEVA NARRATIVA HISPÁNICA

SEIX BARRAL - BARCELONA

JOSÉ DONOSO

Cuentos

Primera edición: 1971
(tres mil ejemplares)
Segunda edición:
(primera tirada: cuatro mil ejemplares); 1972
(segunda tirada: cinco mil ejemplares); 1973

© 1971 by José Donoso

Derechos exclusivos de edición
reservados para todos los países de habla española:
© 1971 by Editorial Seix Barral, S. A.,
Provenza, 219 - Barcelona

Depósito legal: B. 842 - 1973

ISBN: 84 322 1334 9

Printed in Spain

PRÓLOGO

El nombre de José Donoso era ya conocido del público lector español a raíz de la reedición en España de su primera novela, Coronación,[1] y más recientemente, a partir de la aparición de El obsceno pájaro de la noche,[2] su última novela, suena con fuerza junto a los de Mario Vargas Llosa, Gabriel García Márquez y Guillermo Cabrera Infante —entre otros—, con lo que ha venido a incorporarse a lo que se ha dado en llamar el boom de la novela latinoamericana.

Sin embargo, a pesar de haberse publicado en España su primera y su última novelas, el conocimiento que el lector español pueda tener de la obra de José Donoso sigue siendo incompleto y, por lo mismo, todo juicio acerca de su producción literaria corre el peligro de resultar insuficiente y parcial. La diferencia abismal —tanto estilística como temática— que puede observarse entre Coronación y El obsceno pájaro de la noche no representa un salto brusco y repentino dentro de la obra literaria de José Donoso, sino que, al contrario, es el producto de una evolución progresiva —paulatina, pero constante—, que puede ser constatada mediante una lectura cronológica de sus obras. Entre la aparición de una novela de tan tradicional construcción como es Coronación —donde ya surgen las obsesiones temáticas a las que el autor vuelve siempre a lo largo de su producción— y la exuberante y desconcertante obra que es El obsceno pájaro de la noche transcurrieron trece años (Coronación se publicó por primera vez en Chile en el año 1957). En el curso de estos trece años Donoso publicó otras dos novelas, El lugar sin límites [3] *y* Este domingo, *además de un libro de narraciones,* El charlestón,[5] *títulos hasta hoy no publicados en España (como tampoco lo estaba un libro de cuentos anterior a* Coronación: Veraneo y otros cuentos [6]*), cuya lectura, sin embargo, ayuda a explicarse —aunque no a anticipar— este estallido final que es* El obsceno pájaro de la noche.

La presente edición que Seix Barral presenta al público español de los Cuentos *de José Donoso ofrece así un especial interés, pues, además de tratarse de narraciones desconocidas aquí (e incluso casi también para el lector americano), constituyen las primeras producciones del autor. Indudablemente, el lector que haya tomado contacto con la obra de Donoso a través de* Coronación *y, más especialmente, de* El obsceno pájaro de la noche *se sorprenderá ante la lectura de los presentes cuentos, y quizá no le falte razón. Sin embargo, una detenida consideración que tenga por objeto estas narraciones y los libros posteriores de Donoso puede conducirnos a reconocer una firme y valiosa ligazón entre ellos. Y éste es, precisamente, el propósito del presente prólogo: establecer —dentro de las posibilidades que ofrece el complejo mundo literario de José Donoso y el límite inevitable de extensión de estas páginas— la conexión que existe entre estas primeras obras y la producción más reciente del autor, con el fin de evitar que se caiga en el error de considerar estas narraciones como escritos que no tienen nada que ver con la obra posterior de Donoso, cuando, por el contrario, hay que juzgarlas como la primera piedra de un mundo muy particular que culminará —a través de una trayectoria tan apasionante como compleja— en* El obsceno pájaro de la noche. *Trayectoria que el lector tan sólo puede seguir a través de las obsesiones del autor, obsesiones que empiezan ya a vislumbrarse, precisamente, en las presentes narraciones. Pues José Donoso es* un escritor de obsesiones (no con obsesiones), y su obra no es una descripción de dichas obsesiones, sino más bien una continua creación de las mismas. Puede decirse que todo autor tiene sus obsesiones personales, que se reflejan, naturalmente, en su obra. Sin embargo, no es éste el caso de José Donoso, cuya obra no es una puesta en solfa de sus obsesiones ni un intento de argumentarlas, en el sentido de tematizarlas o hacerlas motivo de una trama argumental. Quizás esto suceda en el caso de sus primeras obras, pero en su más reciente producción desaparecen personajes y tramas argumentales, oscurecidos por la prioridad, por el rango de único protagonista, que el autor da a sus obsesiones. Así, en El obsceno pájaro de la noche, el fondo argumental, susceptible de ser historiado, que enmarca las obsesiones es el mismo mundo obsesivo que la obsesión engendró, y la ligazón entre ambos viene dada por la potencia imaginativa que se crea y destruye a sí misma dentro de un universo puramente literario cuya ambigüedad nace de su misma naturaleza y que se constituye en realidad existente por sí misma y regida por leyes propias. En recientes declaraciones, el autor definió así su novela: «El obsceno pájaro de la noche es una novela laberíntica, esquizofrénica, donde los planos de la realidad, irrealidad, sueño, vigilia, lo onírico y lo fantástico, lo vivido y lo por vivir, se mezclan y entretejen y nunca se aclara cuál es la realidad, pero no ya la del "realismo social" —al que considero como una rama menor de la literatura fantástica— sino también la de la posibilidad de imaginar, de crear, otra personalidad. Es un problema que no me planteo. Simplemente, he intentado la posibilidad de novelar obsesiones, temas, recuerdos, cosidos y recosidos. Novelar un mundo esquizofrénico dando por absolutamente real lo más caprichoso: treinta y ocho u ochenta realidades posibles».

Pero antes de que la poderosa capacidad fabuladora de José Donoso se manifestara en esta su última novela, arrastraba un mundo que la preludiaba y en el que resulta interesante bucear, aunque sea brevemente.

José Donoso nació en Santiago de Chile en 1924, en el seno de una familia de médicos y abogados. Empezó su educación en el colegio de lengua inglesa **The Grange,** *en donde fue muy mal alumno, y entre sus condiscípulos estaban Carlos Funtes y Luis Alberto Heiremans. En la revista del colegio publicó algunas colaboraciones en inglés. No llegó a terminar el bachillerato y se empleó en varios puestos en los que no duró más de tres o cuatro meses, hasta que, al cumplir los veinte años, decidió irse de Santiago. Desde entonces, José Donoso viajó de un lado para otro sin instalarse definitivamente en ningún sitio. Primero vivió en Punta Arenas, en el estrecho de Magallanes, llevando una existencia de completo aislamiento haciendo de ovejero. Al cabo de un tiempo decidió partir y, yendo de pueblo en pueblo, recorrió la Patagonia trabajando con camioneros, hasta llegar a Buenos Aires, donde, durante un corto tiempo, se empleó de apuntador del puerto. Tuvo que regresar a Chile por enfermedad. Ya en Chile, terminó el bachillerato e ingresó en el Instituto Pedagógico de la Universidad de Chile, donde estudió inglés con el propósito de especializarse en el campo de la literatura inglesa. Obtuvo una beca otorgada por la Universidad de Princeton, gracias a la cual pudo abandonar de nuevo Chile. Desde los tiempos del colegio afirmaba —y estaba seguro de ello— que sería escritor, pero pasaba el tiempo y no escribía nada. Llegó a Princeton en 1949. La estancia en Princeton fue de una importancia capital para el desarrollo de la personalidad intelectual de José Donoso. Ade-*

más de estudiar crítica literaria con R. P. Blackmur,
conoció a Allen Tate, asistió a las clases de Jacques
Maritain y a conferencias y conciertos que daban en
la universidad figuras de la talla de Thomas Mann y
Robert Cassadessus. Siguió cursos sobre historia de
la pintura, por la que se apasionó, y fundó una revis-
ta financiada por la Universidad, llamada MSS, *de la*
que fue coeditor y donde publicó sus dos primeros
cuentos, escritos en inglés: «The poisoned pastries»
(«Los pasteles envenenados») y «The blue woman»
(«La mujer azul»). Al mismo tiempo, visitaba Nueva
York y sus museos todos los fines de semana. La es-
tancia de Donoso en Princeton coincidió con la reva-
lorización de la obra de Henry James (cuya influencia
recibiría), la de Melville y la de F. Scott Fitzgerald,
sobre quien Edmund Wilson dio conferencias en la
universidad.

La vuelta a Chile, en 1951, según palabras de Dono-
so, desencadenó los tres peores años de su vida. Es-
taba inquieto, descentrado, sin saber qué hacer y sin
encontrar un medio donde desenvolverse o un trabajo
satisfactorio. Después de un largo período de readap-
tación, comenzó a trabajar de profesor de inglés en
el Kent School, de Santiago, y luego en la Universidad
Católica. Sin embargo, aún no había conseguido em-
pezar su producción literaria y alcanzaba ya los trein-
ta años. En 1953 Enrique Lafourcade organizó las Jor-
nadas del Cuento, en Santiago, acto en el cual escrito-
res jóvenes presentaban un cuento que, cada semana,
leían ante el público. Donoso no tenía ningún cuento
escrito, pero, para forzarse a sí mismo a escribir, pi-
dió que le dieran fecha fija para presentarse a las Jor-
nadas. Se acercaba la fecha señalada, pero no escribía
el cuento. Por fin, lo escribió la noche antes de la pre-
sentación en el certamen. Fue el cuento titulado «Chi-
na», que más tarde formaría parte del volumen Veraneo y otros cuentos.

13

En 1954 Enrique Lafourcade publicó la **Antologia** del nuevo cuento chileno, *donde se incluyeron los cuentos leídos en las Jornadas, y nació la que en Chile se dio en llamar la generación del cincuenta. La publicación de «China» y la resonancia que obtuvieron aquellos jóvenes escritores entre los cuales estaba incluido estimularon a Donoso, quien se prometió a sí mismo abandonar la literatura si antes de llegar a los treinta años no había conseguido escribir un libro completo. Aquel mismo año (1954) escribió* Veraneo y otros cuentos, *libro que no encontró editor y no fue publicado hasta 1955, en una edición hecha por el autor y costeada por medio de subscripciones que él y un grupo de amigos lograron obtener antes de que saliera el libro. Al cabo de un año obtuvo el premio Municipal para cuentos.* Veraneo y otros cuentos *comprendía las siguientes narraciones: «Veraneo», «China», «Tocayos», «Fiesta en grande», «El güero», «Dinamarquero» y «Dos cartas».*

Pasados veinticuatro años y juzgando con el distanciamiento que permite el paso del tiempo, puede comprobar el lector que José Donoso no se escapó de pagar su tributo a la moda del realismo social de los años cincuenta. Contribución que, en esta primera recopilación de cuentos, puede observarse, sobre todo, en los titulados «Tocayos» y «Fiesta en grande», narraciones que, tal vez por esto mismo, fueron las que alcanzaron en la época una mayor resonancia en Chile. Los temas propuestos por Donoso en estos sus primeros cuentos son los que ya no abandonará —por el contrario, cada vez irá profundizando más en ellos— a lo largo de su obra. En primer lugar, el mundo cerrado, angustioso, impenetrable, de la vejez, que tiene su paralelo en el hermético universo de la infancia. Luego, la importancia de las criadas, nunca tratadas como pretexto para establecer una diferencia de tipo social y clasista sino como una presencia que desen-

cadena pasiones obsesivas (no únicamente sexuales, ya que las criadas, en la obra de Donoso, son portadoras de una llamada que arrastra al protagonista hacia un universo misterioso y por él ignorado). Finalmente, la mutación de la personalidad, o mutación de universos, que Severo Sarduy, en un ensayo sobre la obra de Donoso, califica de «travestismo» al tratar de la Manuela, personaje de El lugar sin límites, criatura desgarradamente esperpéntica, habitante de un burdel inmerso en una atmósfera agobiante y fantasmagórica y al mismo tiempo brutalmente real (que tiene mucho de buñuelesca e, incluso, de valleinclanesca), que a las cuarenta páginas de la narración se descubre que se trata de un hombre. Severo Sarduy habla del travestismo en los siguientes términos: «El travestismo, tal y como lo practica la novela de Donoso, sería la metáfora mejor de lo que es la escritura: lo que Manuela nos hacer ver no es una mujer BAJO LA APARIENCIA de la cual se escondería un hombre, una máscara cosmética que al caer dejara al descubierto una barba, un rostro ajado y duro, sino EL HECHO MISMO DEL TRAVESTISMO. Nadie ignora, y sería imposible ignorarlo dada la evidencia del disfraz, la nitidez del artificio, que Manuela es un ajetreado bailarín, un hombre disimulado, un CAPRICHO». Bastante justa es la apreciación de Severo Sarduy; sin embargo, el término travestismo (utilizado frecuentemente por la crítica al considerar la obra de Donoso) resulta parcial y limitado, pues las mutaciones que presenta José Donoso no constituyen únicamente un cambio de disfraz o máscara, no se trata de un cambio o transformación radical, sino de una superposición de distintas realidades, ninguna de las cuales desaparece ante el peso de la otra, sino que, por el contrario, persisten a un mismo nivel, se entrecruzan y se mezclan. De modo que la Manuela, más que un personaje camuflado que abandona su condición y su propia realidad para vivir la *realidad del disfraz, sería un ser que vive víctima de las múltiples realidades que el autor le propone, pero sin quedar limitado a habitar únicamente en una de ellas, sino en todas a la vez.*

En este sentido, más que de travestismo, podría hablarse de mundo mutante, o, mejor, esquizofrénico, donde realidad e irrealidad ocupan un mismo plano. Donoso encarna este universo ambiguo y hermético en personajes de niños o viejos. Al igual que en Gombrowicz, en José Donoso la adolescencia es la edad de la anarquía, y asimismo el caos en que está sumida la recién formada personalidad de los adolescentes en el caso de la vejez se convierte en el caos en que se sume la personalidad en descomposición y que permite que los avatares, formas, impulsos y obsesiones del inconsciente se desarrollen a un mismo nivel literario que la vida consciente.

En Veraneo y otros cuentos *apunta ya la temática que se acaba de esbozar, aunque, claro está, sin alcanzar el desarrollo de obras posteriores, pues, además de tratarse de un primer libro, ya se ha dicho anteriormente que el tratamiento de algunas de las narraciones está sometido a la moda literaria de los años cincuenta. Y el mundo literario de José Donoso, menos que el de cualquier otro autor, no puede forzarse a la limitación de unas reglas basadas en la sencillez esquemática, en el lenguaje llano producto del horror por todo cuanto pueda significar barroquismo o recreación lingüística, ni aceptar imposición de explorar las clases más bajas (ajenas, por otra parte, al mundo personal del autor) y la inevitable necesidad de que la narración literaria se reduzca a recrear aspectos de una realidad considerada objetiva, esclavizando así el quehacer literario en nombre de un «realismo social» al que Donoso contribuyó, poco por suerte, y del cual se escapa a veces o con el cual convive otras.*

16

En el cuento titulado «*Veraneo*» despliega ya Donoso lo que podría considerarse su obsesión por la interrelación de mundos dentro de otros mundos, que en dicha narración se manifiesta a través de las vivencias de un niño. La realidad infantil de Raúl, el protagonista, aparece planteada a tres niveles. La personalidad del niño se mueve en el universo cerrado y misterioso que engendran sus relaciones con Jaime, otro adolescente que lo subyuga y atrae, arrastrándolo hacia lo desconocido, un mundo impenetrable y separado por completo del universo cotidiano que envuelve a Raúl en el seno de su familia. Aparece, además, en «*Veraneo*» otra temática característica de toda la producción literaria de Donoso: el universo de las criadas. Siempre los protagonistas de Donoso encuentran en las criadas un mundo nuevo, desconocido. En la criada hallan la alianza que no tienen con el universo familiar, o una relación que va desde el descubrimiento del amor (en Este domingo el protagonista es iniciado en las relaciones sexuales por la criada de la casa), que puede convertirse en enfermiza obsesión (en Coronación), hasta llegar al odio más descarnado (como en las relaciones entre Rosario y misiá Elisita, en Coronación). Quizá sea, precisamente, «*Veraneo*» la narración, de entre las que forman el volumen que lleva el título del mismo nombre, donde más claramente pueda advertirse esta interrelación de universos distintos.

José Donoso confiere a la dedicatoria de este volumen una significación particular: «*A Teresa Vergara, que no sabe leer*». Según nos dice el propio autor: «Sin saberlo, me estaba comprometiendo, estaba eligiendo una temática. Teresa Vergara era la criada de mis padres y fue quien me crió (aún ahora vive con ellos): es la madre de todas mis criadas, de todas mis viejas (está aquí el preludio de El obsceno pájaro de la noche), es la Peta Ponce. Una mujer que no sabía

17

leer en una familia culta, de abogados, es la presencia más misteriosa, más obsesiva, de mi vida y de mi obra. En "China", mi primer cuento, ya aparecía.»

Efectivamente, la vejez es temática constante a lo largo de toda la obra literaria de José Donoso. Y ya en «Fiesta en grande» nos encontramos con esa presencia a la que el autor da el carácter de una fuerza dominadora a la cual no puede sustraerse el protagonista, quien se convierte en víctima de dicha fuerza, que alcanza a veces poderes demoníacos. También en la narración titulada «El güero», de cierto exotismo mejicano, es una vieja quien abre los ojos de un joven a un mundo nuevo. Sin embargo, más característico del autor resulta el mencionado cuento «Fiesta en grande». Aquí, la relación entre el protagonista, un tipo cuarentón, oficinista, tímido, carente de todo rasgo sobresaliente, y su madre, ofrece cierto paralelismo con la de don Andrés y su abuela misiá Elisita en Coronación. Y aunque la madre de «Fiesta en grande» diste mucho de poder compararse a la esperpéntica misiá Elisita y la fuerza que ejerce sobre el hijo no desencadene una realidad sustentada sobre la locura y la degeneración, sí, en cambio, provoca una dependencia dentro de una atmósfera asfixiante y castrante. Lejos están todavía la Peta Ponce y las viejas de la Casa de El obsceno pájaro de la noche, pero ahí empiezan ya a asomar. José Donoso da así una explicación personal de esta temática tan constante en él: «Me gustaría decir que mi infancia es el recuerdo de un patio de Sevilla, como Machado, pero mi infancia es el recuerdo de tres patios de Santiago. Mi padre, doctor en medicina, con su familia, que éramos nosotros, ocupaba un lado de los tres patios y hacía de médico, casi de capellán, de tres tías bisabuelas mías que ocupaban el otro lado del patio. Las tres viudas, las tres en cama, las tres con su corte de sirvientas y sólo la más joven de ellas (que tenía setenta años) se levantaba una vez al año para hacer su anual viaje a Europa, a las termas de Vichy, para hacer una cura y regresar a Santiago para volver a meterse en cama. Mi infancia son recuerdos de infinitas decrepitudes, parientes pobretones que venían a hacer la corte a las tías para obtener la herencia, grandes piezas de adobe con olor a brasero, y ropa secándose en el secador de mimbre cuando estaba con sarampión, afuera llovía y me daban sopas de letras para comer. Todo era como muy periclitado. Esos son los recuerdos de mi infancia: no de niños, sino de una infinidad de gente vieja a mi alrededor. Ahora bien, no creo que sea ése el fundamento de mi interés por la vejez. Hay otros motivos: creo que es esa anarquía de la vejez, ese mundo cortado de las leyes. No me interesa como problema social o sentimental, sino como separación de un juego de leyes que funciona en sí, en ese mundo cerrado que es».

El charlestón es el segundo volumen de narraciones publicado por Donoso, y apareció en 1960, es decir, cinco años después de la publicación de El veraneo y otros cuentos. Así como las narraciones del primer libro fueron escritas de un tirón, las que integran El charlestón se escribieron en épocas distintas; además, en el curso de esos cinco años Donoso escribió también Coronación. El orden cronológico de los cuentos de El charlestón es el que sigue: «El hombrecito», «Ana María», «El charlestón», «Puerta cerrada», «Paseo» y «Santelices».

Los tres primeros pueden considerarse aún un intento de realismo, aunque están, como siempre, impregnados de la temática del autor. En los tres cuentos nos encontramos con el enfrentamiento del mundo adolescente (el infantil en el cuento titulado «Ana María») con el universo de los adultos y el de un personaje portador de un tercer universo, que aquí no es una criada pero que presenta idéntica significación.

19

Así, en «El hombrecito» es un hombre, un alcohólico que realiza trabajos a domicilio y que subyuga a los niños de la casa; en «Ana María», un anciano que entabla amistad con la niña de tres años (el encuentro de la extrema niñez con la extrema vejez está planteado por el autor con tan tierna sutileza que hace del cuento uno de los más bellos del libro); y en «El charlestón», un borracho que baila en un bar hasta quedarse muerto.

Los tres últimos cuentos, «Puerta cerrada», «Paseo» y «Santelices», se apartan ya casi por completo del realismo, y son, creo, los más característicos de Donoso, a la vez que los más perfectos. En los tres, la realidad se rige según las normas propias de un mundo creado por la obsesión del protagonista y engendra un universo literario estructurado por leyes internas cuya coherencia no puede ser juzgada con el mismo criterio con que juzgamos la del mundo exterior.

Estos tres últimos cuentos fueron escritos después de Coronación, novela que empezó Donoso en 1955 y que terminó en 1957 en la Isla Negra. Entre 1958 y 1960 terminó El charlestón mientras vivía en Buenos Aires. A su regreso a Chile, Donoso trabajó en la revista Ercilla durante cinco años. En 1964 viajó a Estados Unidos con motivo del lanzamiento de su primera novela. En esa época ya trabajaba en la redacción de El obsceno pájaro de la noche (empezó la novela en 1962), pero en 1965, durante una estancia en México, la abandonó para escribir El lugar sin límites, que apareció publicada al año siguiente. Fue contratado de profesor del Taller de Escritores de la Universidad de Iowa, donde se trasladó al año siguiente, pero antes, durante una estancia en Cuernavaca, escribió Este domingo. Después permaneció en los Estados Unidos hasta 1967, año en que se trasladó a Europa. Vivió primero en Portugal y al cabo de unos meses pasó a España. En el verano de 1969 terminó por fin El obsceno pájaro de la noche, *cuya redacción le llevó ocho años, novela que ha colocado a su autor a la cabeza de los narradores latinoamericanos.*

Después de la aparición de una novela tan compleja, donde la ambigüedad está llevada hasta sus últimas consecuencias y las distintas realidades propuestas por el autor se mezclan en un mundo esquizofrénico poblado por seres decrépitos, obsesiones, símbolos, personajes esperpénticos y monstruos que exponen toda la brutalidad de lo horroroso y la fragilidad de las formulaciones del inconsciente, resulta de especial interés la publicación de los Cuentos de José Donoso, *que están entre las primeras obras del autor y donde aparece ya un esbozo de todo su universo literario.*

ANA MARÍA MOIX

[1] *Coronación* (Barcelona: Seix Barral, 1968).
[2] *El obsceno pájaro de la noche* (Barcelona: Seix Barral, 1970).
[3] *El lugar sin límites* (México: Joaquín Mortiz, 1966).
[4] *Este domingo* (México: Joaquín Mortiz, 1966).
[5] *El charlestón* (Santiago: Nascimento, 1960).
[6] *Veraneo y otros cuentos* (Santiago 1955).

A Teresa Vergara,
que no sabe leer.

VERANEO

1

—¿Y QUÉ DIJO? —preguntó, mientras tejía, la más madura de las dos niñeras que reposaban sobre un chal en la parte seca de la playa. La respuesta de su compañera tardó unos segundos. Con la višta recorría la orilla del mar en busca de Raulito, a quien no veía en el grupo de sus primos. Pronto lo divisó en cuclillas junto al hoyo que cavaba. Sólo entonces respondió, remedando a su patrona:

—«¡Cómo se atreve a arrendar casa aquí esa bachicha indecente! ¡Como si la gente no supiera qué traza de sinvergüenza es!» ¡Estaba tan enojada, Juanita, por Dios! El caballero ni mirarla quería. ¡Había que oír las cosas que dijo! ¡Ni una! No sé cómo la señora no se traga los celos no más. Claro que la otra es linda. Rubia. Parece artista.

Para quedar más cerca de su compañera, que era joven y usaba aretes tintineantes, Juana se arrellanó en el chal, diciendo:

—La conozco. Es aclarada. ¿Pero será cierto lo que la señora cree, Carmen, por Dios?

—Puede que sí y puede que no. —Carmen había pesado la pregunta—. Pero deben ser cosas de estas ricas. No tienen nada que hacer y se lo pasan imaginando. Claro que antes que la otra llegara aquí anteanoche, don Raúl siempre tenía tantísimo que hacer en Santiago. Vamos a ver cómo se nos porta ahora.

Juana no dudaba de que Carmen lo contaría todo. Después de un silencio breve, la interrogó nuevamente:

—Cómo empezaría todo el boche, ¿no?

—Dicen…, bueno, esto lo sé por fuera yo, ah. Dicen

que fue para la última Pascua, en un baile. Así que el asunto es nuevecito. ¿Se acuerda cuando le conté que la señora se hizo ese traje negro que por suerte la hace verse más flaca? Fue para entonces. Dicen que don Raúl se me anduvo curando, y bailó todita la noche con la bachicha. La señora volvió temprano, sola, y él llegó, calladita mi alma, a las ocho de la mañana.

—Por Dios, lo que son algunos hombres —suspiró Juana—. Con lo buena que es la señora Adriana. Tan de su casa, tan creyente y todo.

—Pero fíjese, Juanita, yo no sabría a quién echarle la culpa —dijo Carmen. Tenía un lunar junto al labio y su cabello largo cubría a medias los aretes. Una revista de cine reposaba en su falda—. Yo comprendo al caballero. Tan poco que se cuida ella, con el tiempo y la plata que le sobran. ¡No sé cómo! ¡Y una la tonta que tiene que hacer lo que puede con las cuatro tiras que ha podido comprar! La señora se lo pasa lateada, metida en los asuntos de la casa, sin tener para qué. Y no crea que es de las que se preocupan mucho del niño. No. A veces le da con él, pero otras veces ni lo mira. No le gusta salir y se lo pasa amurrada porque él se lo lleva en el Club. ¿Qué va a hacer el otro, entonces? ¡Buscarse una rucia, pues!

Tendiéndose en el chal, Carmen abrió la revista. Juana quedó pensativa, mirándola. No sabía qué creer de estas chiquillas jóvenes sin principios, empleadas un mes aquí, otro allá, preocupadas sólo de fumar a escondidas y de ir al cine. Apostaría que el lunar de Carmen era pintado.

Las siluetas de los niños comenzaron a oscurecer frente al cielo y al mar, que no habían enrojecido aún. Dispersos sobre la arena, grupos de empleadas conversaban y tejían. Pero no perdían de vista a los niños que corrían por el agua o hacían castillos en la arena húmeda. Atrás, las casas del balneario familiar y tranquilo se ocultaban a medias entre los pinos, o lucían entre cercos de cardenales y buganvillas al remontar la colina. En el extremo opuesto de la gran playa, a varios kilómetros de distancia, se divisaban las colinas de otro balneario, grande, bullicioso y vulgar, coronado por sus hoteles y torreones de pacotilla.

—¿Va a ir a pasear a Santa Cruz este domingo? —preguntó Juana a su compañera. Carmen levantó la cabeza, y mirando la puntilla lejana, dijo:

—No tengo con quién ir...

Antes de volver a la lectura, la mirada de Carmen topó con una empleada joven, que avanzaba conduciendo a un niño. Al verlos, susurró:

—Mire, Juanita, mire. Hablando del diablo, luego asoma. Ese es el niño de la bachicha. Yo soy amiga de la empleada.

Hizo una señal a su conocida, poniéndose de pie para recibirla. Juana observó el abrazo. Se dijo: «Tal para cual», ya que la recién llegada era más joven que Carmen, y de aspecto aún más moderno. El niño que venía con ella era alto y moreno, muy fuerte para los nueve años que debía de tener. Mientras su niñera saludaba a Carmen, el muchacho hacía silbar en el aire una varilla recién pelada, todavía reluciente y húmeda. Luego se sentó en la arena para quitarse las sandalias. Carmen presentó la recién llegada a Juana, y a los pocos minutos las tres charlaban animadamente.

—Supongo que pedirías los domingos libres, pues, Rosa —dijo Carmen.

—Claro, pues, niña, no faltaba más. Fue lo primero que le dije a la señora cuando supe que íbamos a estar cerca de Santa Cruz.

—Regio, entonces. Ahora no más le estaba diciendo a la Juanita que no tenía con quién ir. Vamos este domingo sin falta.

El niño se había sentado en la arena, a pocos pasos. Con el cuerpo muy derecho, mantenía el perfil fijo en el horizonte. Llenando sus sandalias con arena seca y

29

alzándolas, dejaba que se escurriera en chorros por los muchos calados y orificios.

—Jaime, anda a mojarte los pies antes que haga frío. Se está haciendo tarde —dijo Rosa.

—No quiero.

—Tan pavo este chiquillo...

—Es que no conoce a los demás y no le gustará jugar solo —murmuró Juana, sonriendo al niño.

—Voy a llamar a Raulito para que juegue con él.

Al levantarse para llamarlo a gritos, Carmen dio a Juana una mirada de complicidad.

—Juega con este niñito, Raúl —dijo al chico de grandes ojos azules y confiados que llegara con las piernas húmedas y el balde en la mano—. Préstale tu pala.

Los niños se sentaron sin saludarse. El reflejo del sol, horizontal sobre el mar, hacía fruncir el ceño a los dos muchachos, de manera que quien los viese diría que estaban enfurruñados.

—¿Quieres jugar con mi pala? —preguntó Raúl.

—No.

—Toma mi balde para que hagas un cerro —insistió.

—No quiero.

Jaime se puso de pie. Hizo silbar la varilla en el aire.

—¿Y para qué haces eso?

—Así hago en el campo —fue la respuesta de Jaime. Luego aclaró—: Para cortar los brotes de la zarzamora.

—¿Y para qué?

—Porque sí. La zarzamora es mala.

—¿Quién te dijo?

—Nadie. Yo sé lo que es malo.

Raúl parecía frágil y manso, muy niño, junto al desarrollo sólido del recién llegado. Deseaba volver al mar, al castillo que estaba construyendo con sus primos Pía y Antonio.

—¿Conoces el palacio de las dunas? —preguntó Raúl.

Jaime negó con la cabeza.

—Es por la playa para allá —explicó el niño, alargando el labio inferior en dirección a Santa Cruz—. Yo lo hice igual en la arena. Claro que la Pía me ayudó, pero no mucho. Ella hizo el jardín, no más. ¿Vamos a verlo?

—No tengo ganas.

Tenía Jaime algo de gavilán en el perfil, como si lo viera todo volando a grandes alturas, abarcando distancias inmensas. El rostro del hombre que sería se hallaba preciso en sus rasgos de niño y en la oscuridad fija de sus ojos serios, muy hundidos.

—No tengo ganas —repitió.

—Anda, tonto —dijo Rosa, que escuchara algo de la conversación. Pero Raúl ya había partido. Se le veía brincar y correr por la orilla del mar, junto a los demás chicos. Jaime se sentó en la arena y sacó una honda del bolsillo. Contemplándola, la estiró varias veces. Luego la guardó y volvió a su juego con las sandalias y la arena seca. Miraba hacia la orilla del mar de vez en cuando.

—¿Que hay un palacio de veras por aquí cerca? —preguntó Rosa.

—Si no es palacio —respondió Juana—. Es pura tontera de los chiquillos. Es una casa toda hecha tiras que hay un poco por la playa para allá.

—¿Cerca de Santa Cruz? —preguntó Rosa.

—Es por la playa en ese camino. Pero es cerquita de aquí. Mañana en la tarde podíamos llevar a los niños —propuso Carmen.

—Claro —asintió Juana, que estaba encantada con Rosa.

Cuando el sol desapareció, fundiendo el pueblo en vislumbre líquida, las empleadas llamaron a los niños.

31

La brisa se había levantado y llegaba la hora de partir. Mientras reunían sus pertenencias, Pía quiso endilgar una conversación con Jaime, pero él no le prestó atención. Calzándose, sentados en los escalones que subían desde la arena hasta el camino, Jaime se acercó a Raúl y le mostró la honda.

—¿Qué es? —preguntó Raúl, tocándola con un dedo.

—Una honda —respondió Jaime.

—¿Y para qué es?

—Mañana te cuento.

—Bueno.

En el momento de despedirse, Jaime dijo a Raúl al oído:

—¿Sabes cantar?

—No.

—Yo sé. Te voy a enseñar.

—Ya.

—Pero con una condición —continuó Jaime, mientras las empleadas terminaban sus despedidas.

—¿Cuál?

—Que me hagas caso en todo, y que no te juntes más que conmigo.

Todo recelo se desvaneció en Raúl. Ya no deseaba separarse de su amigo.

Esa noche, cuando Carmen lo estaba peinando para que bajara donde sus padres, Raúl le preguntó qué era una honda.

—Un palo con elástico —fue la explicación de la niñera.

—¿Pero para qué sirve?

—Los chiquillos malos la usan para matar pájaros.

Después, al secarse las manos, Raúl volvió a interrogarla:

—¿Y usted sabe cantar, ñaña?

Carmen respondió que sí, pero que no muy bien.

—¿Y los chiquillos malos no más cantan?

—¡Qué molestoso este tonto! Baja donde tu mamá,

mejor, preguntón —exclamó Carmen, besándolo. Eran muy buenos amigos.

La madre de Raúl estaba con dolor de cabeza. Su padre no había llegado aún. Comieron solos, sin esperar su llegada.

Esa noche, Raúl no pudo conciliar el sueño. Pensaba en la honda. Al contar once campanadas en la iglesia, vio que su madre abría suavemente la puerta del cuarto, apagando un cigarrillo antes de entrar. Al sentirla avanzar hasta la oscuridad que rondaba su cama, Raúl murmuró:

—Mamá...

—Chit... Duérmete, que es tarde.

—Mi papá no ha llegado todavía.

Ella no respondió. Arropándolo, le dio las buenas noches. Raúl vio su silueta, algo gruesa, recortada en la luz de la puerta.

Al día siguiente, camino del palacio, Jaime y Raúl se quedaron atrás. Los otros, junto al mar blanco, bajo un gran cielo abierto, saltaban en el agua, mientras las gaviotas giraban altas sobre presas visibles sólo para sus ojos. Con los pies desnudos los niños iban aplastando las babosas que yacían junto a la blonda de espuma que la marea dejaba.

—Mi ñaña dice que las hondas son malas —dijo Raúl.

—Tontera. Hay que matar los gorriones —repuso su compañero.

—¿Y por qué?

—Yo sé lo que es malo.

—¿Y cómo se hace?

—Si me prometes obedecerme en todo, te muestro.

—Ya.

Se acercaron a la orilla del mar y caminaron por el agua. Con un golpe de su varilla, el niño más alto deshizo un moño de espuma. Sus ojos negros, como dos piedras pesadas, caían sobre todas las cosas, sobre el mar, sobre Raúl, sobre trozos de conchas y guijarros, apoderándose de todo. Llevaba los puños muy cerrados, de modo que sus coyunturas relucían.

—Yo sé dos cantos —explicó su compañero—. Cuando cante el primero, tú tienes que reírte, ¿quieres?

Raúl aceptó.

Jaime tomó vigorosamente del brazo al más pequeño y comenzó a canturrear. Era una melodía muy monótona la que su voz trazaba, casi sin altos ni bajos. Al principio, Raúl intentó soltar su brazo, pero luego, acercándose mucho a Jaime, escuchó. Una sonrisa rozó el contorno de sus ojos claros, mientras la línea melódica, leve y corta, se repetía y se repetía. Jaime fijó en él las dos piedras negras de sus ojos, que lo apresaron. Sin poder contenerse, Raúl rompió a reír. Reía y reía y reía. Jaime, que había retirado de su amigo la mirada seria, la fijó en el horizonte, repitiendo la cantinela. Raúl reía aún cuando cesó.

—Ya —dijo—. Ahora la honda.

—No —respondió Jaime—. Falta. Ahora tienes que llorar.

—Ya.

Raúl se acercó a su amigo, no sin antes observar que llegaban al palacio. La nueva melodía era un tralalá lento, más tenso que triste. Sus ojos se colmaron de lágrimas, y su mano colorada subió a ellos como para retenerlas. A medida que el tralalá se repetía, haciéndose más y más lento, los llantos del chico se transformaron en sollozos.

—Ya —dijo Jaime—, está bueno.

Pero el llanto de su amigo continuaba.

—No llores más, tonto. Mira, ahí está tu ñaña mirándote. Te va a retar si te ve llorando. Mira, toma la honda.

El llanto de Raúl amainó. Se secó las lágrimas y señaló la casa a Jaime.

—Mira. El palacio.

Estaba en lo alto de una duna pequeña. Había sido, quizás a principio de siglo, un gran caserón de madera, con un corredor importante y dos torrecillas en la fachada, frente al mar. Pero de casa le quedaba poco. Los pájaros habían anidado durante años entre sus vigas plomizas, volando por lo que fuera comedor, sala, dormitorio. Era sólo un esqueleto. No más de treinta años haría que nadie la habitaba, que el viento estaba circulando por esos cuartos donde antes sonaran voces; que la arena se había encargado de ahogar el espectro de sus jardines; que los temporales del invierno hicieran volar sus techos; que la necesidad de calentarse de los pobres la había despojado de puertas, paredes, ventanas; y sobre todo, que las deslealtades del gusto y de la moda la transformaron en cosa ridícula. Pero absurda, pobre, inútil, había sido rescatada por la compasión de aquellos niños que en el balneario vecino vivían en casas limpias y precisas, para vestirla con colores de leyenda. En las ventanas de las torrecillas, a ambos extremos de la fachada, quedaban algunos trozos de vidrios de colores, donde en otros tiempos brillaban cintas, esclavas, lotos. Por las tardes, la hora maravillada del palacio, el sol se quebraba en estos pobres restos de vidrios. Entonces, fugazmente, las dos torrecillas ardían de gloria, rompiendo la luz en mil resplandores y hundiendo en penumbra los melancólicos huesos chorreados que de la casa quedaban.

—¿Juguemos a buscar tesoros?

—Ya —exclamó Pía, déjandose caer junto a Jaime.

—¿Y cómo se juega? —preguntó.

—¿Tú también quieres jugar? —Pía le hablaba con un tonito socarrón. No olvidaba su falta de interés por ella el día anterior—. Yo creía que eras grande.

—Tiene la misma edad que yo —Raúl defendió a su amigo.

—Hay que buscar vidriecitos de colores en la arena —explicó Pía—, de los que se han caído del palacio.

Los verdes son los que valen más porque son esmeraldas. Se juntan en el balde.

—No tengo balde —dijo Jaime.

Raúl propuso que juntara con él.

—Conmigo, amigo, conmigo —chilló Antonio, hermano menor de Pía, que tenía la nariz pecosa y rodillas huesudas en sus piernas flacas.

—Cállate —le dijo Raúl—. Jaime va a juntar conmigo.

—No —repuso éste—, voy a juntar con el más chico.

Los labios de Raúl se fruncieron en un gesto de desagrado. Jaime comenzó a canturrear. Tenía la mirada fría fija en el mar, y, sin embargo, también en Raúl. A medida que el canto subía de tono, los ojos de Raúl comenzaron a llenarse de lágrimas. Pero antes que los demás lo pudieran notar, el muchacho partió a escape en busca de tesoros. Los demás se dispersaron tras él.

Después de un rato, una vez terminada la búsqueda, los niños salieron de entre las tablas. Tranquilos, se sentaron a contemplar contra el sol sus tesoros transparentes. Comparaban formas, tamaños, colores. En uno que Jaime hallara había la mitad de la cara y el ojo de una mujer. Otros eran color puro. Resultó que Jaime había encontrado más vidrios que los demás, lo que pareció natural. Después de enseñar a los niños a hacer figuras con ellos en la arena, repartió sus tesoros, diciendo que él no los quería. Luego, los cuatro se sentaron callados, en fila frente al mar. Una lámpara, una botella, un barco, una casa: el sol gastado cambiaba de formas cayendo al horizonte.

Llegó la hora de partir. Juana frotó el rostro asorochado de Pía con ungüentos especiales. Ella se sometió muy oronda con el privilegio. Jaime y Raúl hicieron juntos el camino de vuelta, aparte del resto. Raúl pidió a su amigo que cantara, y éste accedió, haciendo reír o llorar al más pequeño, según la melodía. Después le enseñó a usar la honda.

2

Pasó el tiempo y el verano mediaba. Jaime y Raúl
se juntaban en la playa todas las tardes. Pero las mañanas eran distintas. A esa hora los niños bajaban a
la playa muy emperifollados en compañía de sus padres, instalándose en las carpas de familia: era su
hora del deber por cumplir, ya que luciéndose cerca
de sus padres casi no podían jugar entre sí. Una mañana la madre de Raúl lo vio en compañía de Jaime.
Le prohibió terminantemente que volviera a hablar
con él. Esto no importó gran cosa a Raúl, puesto que
ella jamás bajaba a la playa en la tarde, y eran ésas,
sobre todo, las horas encantadas. Juntos solían alejarse buscando caracolas y guijarros. Cuando el aire
de la tarde comenzaba a inquietarse y el sol alisaba
las colinas cubiertas de pinos, ambos niños se senta-
ban en la arena y Raúl decía que quería reír. Jaime
cantaba y el niño aullaba de risa. Después de hablar
sobre muchas cosas y de jugar con la honda, Raúl decía que quería llorar. Entonces Jaime entonaba la otra
melodía y su compañero sollozaba desconsoladamente.

Una tarde, al bajar a la playa, Raúl preguntó a su
niñera:

—¿Por qué no quieren que me junte con Jaime?

—¿Cómo sabes?

—Porque mi mamá estaba peleando con mi papá.
Mi papá conoce a Jaime, pero mi mamá no lo quiere.

—No creo...

—¿Por qué no quieren que me junte con él?

—Porque juega con hondas, igual que los chiquillos pobres.

—Mentira —replicó Raúl, súbitamente indignado—. No es por eso. Es porque me canta. Usted me acusó. No la quiero.

Corrió cerro abajo para juntarse con su prima.

Instalados en la playa, Jaime y Raúl permanecieron junto a las empleadas. Jaime había traído dulces, e insistía en compartirlos con Juana y Carmen.

—Pasa una cosa terrible, Rosa —exclamó Carmen—. Fíjate que a la señora se le ha puesto hacer un paseo al campo este domingo. No voy a poder ir a Santa Cruz. Y nosotras que habíamos quedado de juntarnos con los cabros. Mira qué lástima, cuando nos convidaron al teatro y todo. Y lo peor es que se van el lunes.

—¿Qué vamos a hacer, Carmen, por Dios? —exclamó Rosa, consternada—. Yo no me atrevo a ir sola y no sabemos su dirección en Santa Cruz.

—Ni en Santiago tampoco —agregó la otra.

—Cuidadito con los pijes, chiquillas —amonestó Juana.

La tarde siguiente no hubo playa para Raúl. Ni la siguiente, ni la siguiente. Por una razón que no comprendía, era enviado todas las tardes, en compañía de sus primos, a pasear por los cerros.

Una noche, después de comida, Carmen se inclinó sobre Raúl para darle un beso después de acostarlo. Él le mordió la oreja y la hizo llorar.

—Mala —le dijo—, tú me acusaste.

Carmen juró que no había sido ella. Llorando, aseguró que era inocente, y por fin hicieron las paces. Besó la frente de Raúl y apagó la luz del velador. Cuando en la oscuridad la muchacha se levantaba para retirarse, el niño retuvo su mano.

—Quédate... —murmuró.

Afuera había una noche muy clara. Una rama delgada cruzaba la ventana abierta, y en los rincones del cuarto las sombras jugaban apenas, agazapándose junto a los muebles infantiles. El mar juntaba todo dentro del nudo de su son insistente. Raúl no soltó la mano de Carmen: acarició su brazo desnudo, y luego colocó la mano de la muchacha sobre su pecho, que se agitaba bajo el pijama a listas. La retuvo allí.

—Usted quiere ir a Santa Cruz este domingo, ¿no es cierto? ¿Para ir al teatro con los cabros?

Carmen se sobresaltó. Nada le gustaría que la señora, con toda su moral y sus misas, oyera de sus andanzas domingueras. Preguntó a Raúl:

—¿Cómo sabes?

—Oí que usted decía.

Raúl guió la mano de la mujer de modo que en la penumbra acariciara su cuello tibio, sus orejas, sus cabellos salados. En la transparencia del aire, las cortinillas tenían un leve y dulce vaivén. El niño continuó:

—Si quiere, yo me enfermo el domingo y así no habrá paseo y usted podrá ir al teatro con los cabros.

Carmen no respondió en seguida. Sentía el azul de los ojos de Raúl fijos sobre los suyos en la oscuridad. Acariciaba lentamente su cuello, mientras él rozaba su brazo desnudo. Era el niño más encantador del mundo. Pero no era difícil adivinar que quería algo. Se lo preguntó. Apretando el brazo de Carmen hasta hacerle daño, dijo:

—Que me lleve a la playa el lunes en la tarde.

Hubo un silencio. En el fondo de éste, el mar continuaba rompiendo tranquilamente y muy cerca. Carmen asintió. Del piso bajo subía ruido de voces. La madre de Raúl tenía invitados esa noche.

—Tengo que irme a servir los tragos.

—Buenas noches —murmuró Raúl.

—Buenas noches —respondió ella.

Cuando se inclinó en la oscuridad para besarlo, Raúl lanzó sus brazos alrededor del cuello de Carmen y sintió la forma tibia de sus labios junto a los suyos.

—Lindo —susurró Carmen al apartar los brazos

del niño. Salió, y él se quedó dormido instantáneamente.

El sábado, Raúl mostró a su madre un gran tajo
sangrante en el pie. Consternada, dijo que sería mejor
que al día siguinte se quedara en casa. El paseo se
suspendería. Esa noche, Carmen, atemorizada ante lo
que el niño había hecho, subió a su cuarto para hablar
con él. Lo halló apaciblemente dormido, con una gran
sonrisa rondándole los ojos cerrados.

El domingo, su madre levantó tarde a Raúl, y lo
hizo estar quieto todo el día. Su padre había partido
súbitamente a Santiago, y ella, de mal humor y desgre-
ñada, pasó la tarde tejiendo junto a Raúl.

La herida del pie estaba casi curada al día siguiente. Raúl dijo que aunque no le dolía, prefería más
bien bajar a la playa en la mañana, para así ir al bosque en la tarde y recoger piñones.

En la tarde, muda y algo enojada, Carmen llevó
a Raúl a la playa. En el camino, él le preguntó:

—¿Cómo lo pasó, ñaña?

Carmen frunció el ceño y no respondió.

En la playa tuvieron que buscar a Jaime, que no se
hallaba en el lugar acostumbrado. Rosa se extrañó al
verlos llegar, saludando a su amiga con escasa amabilidad. Dijeron a los niños que no se alejaran, ya que
la tarde estaba fría y debían volver a casa temprano.
Juntos, los niños comenzaron a disparar piedrecillas
con la honda. Raúl había aprendido el manejo, pero
le faltaba destreza. Hablaban muy poco.

—Cántame —dijo Raúl.

Jaime comenzó a entonar su cantinela. Alzaba y
hundía la voz monótonamente, una y otra vez, con el
perfil duro en el horizonte. Soplaba un viento frío, y
el pueblo, opaco, aguardaba la lluvia. Casi no había
gente en la playa. Raúl, con las manos enterradas en
la arena seca pero dura de frío, comenzó a llorar. La
canción de Jaime se tornaba más melancólica a cada

instante, mientras el llanto de Raúl se transformaba en sollozo. Sollozaba como nunca antes lo hiciera. Carmen, que estaba pensativa y sólo a medias concentrada en la lectura de su revista, lo vio y acudió a él inmediatamente.

—¿Qué te pasa? —le preguntó—. ¿Que te duele el pie?

La canción de Jaime seguía. Cerró los ojos, y su rostro adguirió una expresión hermética. No veía, no sentía. Los sollozos de Raúl se hicieron gemidos, con una fuerza, con una necesidad antes desconocidas. Indignada, gritó a Jaime:

—Tú estás haciendo llorar a Raulito, chiquillo de porquería —y lo tomó para castigarlo. Rosa acudió, y al ver que Carmen iba a azotar a Jaime, se lo arrebató, diciendo:

—¿Con qué derecho le vienes a pegar al niño?

—Mira, no más, cómo está haciendo llorar al niño. Habráse visto, chiquillo peleador. Hijo de esa bachicha asquerosa tenía que ser. Pero eres tú que lo tienes enseñado así de pendenciero. Con razón te dije ayer que después de la porquería que me hiciste, no quería hablarte más.

—Vamos, mejor, mi hijito —dijo Rosa a Jaime.

Se levantó, y partió con Rosa, sin mirar atrás.

Raúl aún gemía cuando llegó a casa. Estaba algo afiebrado. Su madre lo acostó, permaneciendo junto a él al verlo en tal estado. El niño tardó en dormirse.

Al día siguiente, después de una noche agitada, la fiebre y los llantos continuaron. Le preguntaban qué sentía, pero el niño estaba mudo.

Carmen fue despedida cuando, atemorizada ante lo que estaba sucediendo, confesó todo. A medida que el verano avanzaba, la madre se dedicó más y más al cuidado de su hijo. La fiebre fue bajando y los sollozos amainaron. Quedaron sólo hinchazones leves bajo los ojos encarnados. A la semana, cuando estuvo restablecido, el niño pidió por favor a su madre que bajaran a la playa en la tarde.

Resultó ser una tarde particularmente agradable. Una brisa, apenas, hacía sentir las mejillas y el contorno de los brazos en el aire. Las antorchas de cardenales y buganvillas ardían en cercas y balcones. El horizonte era preciso y leve, como rajado con un solo golpe de navaja, y el mar moría sosegado en la playa. Madre e hijo se instalaron en la arena caliente. Antonio, que los viera venir, se acercó a saludar a su tía, y luego se sentó junto a su primo. Comenzó a canturrear, y Antonio a reír, hasta que Juana lo llamó desde lejos. Raúl pensó que quizá prohibieran a Antonio juntarse con él. Entonces jugó a echar arena en sus sandalias, dejando que se escurriera dulcemente por los orificios.

—Tu papá va a bajar en un rato más. Vamos a salir a caminar los tres un poquito... —dijo su madre.

Raúl no respondió. Ella estaba sonriente, y, cosa inusitada, se había peinado con esmero. Pero el niño no la miraba. Sabía, simplemente. Sabía como sabía ahora tantas cosas. Había adelgazado y sus facciones estaban acusadas con la misma firmeza que las de un hombre. Tenía el perfil, los enormes ojos azules, clavados en el horizonte. Casi no había hablado desde su mejoría.

Sin volverse, dijo a su madre:

—Mi papá va a bajar porque Jaime se fue, ¿no es cierto?

—¿Cómo sabes que se fueron?

Lo ayudó a iniciar un cerro de arena.

—Y por eso usted está tan contenta, ¿no es cierto?

—Sí —respondió la mujer joven, pero ya algo ajada—. Su familia se aburría aquí.

El niño habló poco el resto del verano. Sus padres estaban ocupados de otras cosas y no lo notaron. Sólo notaron cuánto había crecido. A veces Raúl cantaba para su primo Antonio, pero éste se desligaba: en realidad prefería jugar al caballo. Pía dijo que esos cantos no estaban de moda, y además, a ella le gustaban las canciones con palabras. Todos tenían los gustos muy marcados, eran muy «persona», como decían los grandes. Raúl pasó casi todo el resto del verano sentado en la arena, solo, tarareando algo que nadie conocía. Con el perfil fijo en el horizonte, parecía aguardar a alguien, algo.

TOCAYOS

ESE INVIERNO JUAN Acevedo no andaba con dinero en el bolsillo, porque no tenía trabajo. Pero no se amargaba, ya que existía la posibilidad de un puesto como mecánico, con lo que pensaba mantenerse los meses que le faltaban para entrar a hacer la guardia. Además, todos lo querían. Era bajo y enjuto y moreno, con el cabello negro engominado muy alto sobre la frente, y se cuidaba de estar siempre lo más aseado posible. Con frecuencia se dejaba caer al negocio del señor Hernández, y éste le convidaba un par de cervezas, mientras jugaban dominó. Juan se iba pronto, porque era serio y no le gustaba aprovecharse de la gente para pasarlo bien.

El negocio del señor Hernández era una pastelería en una calle de bastante movimiento cerca de la Estación. Un cuarto pequeño pintado de celeste, un mesón y cuatro mesas con sus sillas también celestes. Los pasteles se ponían agrios bajo un fanal, ya que la gente parecía ser poco aficionada a los dulces. Detrás del mesón, en una pieza minúscula oculta por una cortina de percal, había un lavaplatos junto a la taza del excusado. Juana preparaba los sandwiches de lomito con ají en el aparato humeante junto al estante de las bebidas. El problema era la luz. El patrón estaba ahorrando con el fin de comprar una casa para su madre, y por el momento no podía financiar una instalación de luz fluorescente como en los negocios más grandes de la misma calle.

—Me haría rico si instalara de esa luz fluorescente aquí. Me llenaría de gente —confiaba el patrón a Juan

Acevedo.

—Claro. ¿Y por qué no la pone con lo que tiene guardado? Se hincharía de plata, y después le compraba la casa a su mamá chipiaíto.

—No, hombre, no me conviene. La plata para el pie se me va a ir entre los dedos si empiezo a hacer gastos. Primero compro la casita, y después junto para la luz.

El señor Hernández estaba acostumbrado a ver llegar a Juan Acevedo más o menos una vez por semana, cerca de la hora de cerrar. Le gustaba la cabeza bien asentada del muchacho, y esa tranquilidad suya en que siempre rondaba la risa. Juana también se había acostumbrado a verlo llegar. En cuanto lo divisaba atisbando tras el vaho de su respiración en la vidriera, sacaba el dominó porque era seguro que se quedaría jugando con el patrón hasta pasada la hora de cerrar. Cuando el muchacho llegaba, el señor Hernández a menudo permitía que Juana se fuera más temprano, y ella a veces se iba, pero otras veces se quedaba lavando platos y vasos sólo por el gusto de oír hablar a Juan Acevedo.

Juana era diminuta y blanda y tibia. No tenía más de diecisiete años. Estaba contenta con el empleo que su madrina le consiguiera al ir a vivir a su casa, cuando su madre se juntó con ese borracho inservible. El patrón era delicado con ella, y la pastelería quedaba cerca, de modo que no se exponía tanto a la falta de respeto de los hombres que en la noche le silbaban desde las esquinas. Además, en el negocio se hablaba de tantas cosas interesantes. Pero más que todo le gustaba escuchar a Juan Acevedo. Tenía una manera distinta de hablar. Una vez trató de explicárselo a Rosa, la hija de su madrina, y ella opinó que era argentino. Juana se rió porque le parecía imposible. Sólo se convenció cuando fue a ver una película argentina, y extrañada se lo preguntó a Juan apenas pudo.

—No —respondió el muchacho—. Pero mi ambición más grande es conocer Buenos Aires. ¿No le gustaría ir, tocaya?

Juana no supo qué contestar, no lo había pensado. Por otra parte, el hecho que la llamara tocaya la hizo sentirse rara, como si la palabra fuera tibia y deliciosa y se hubiera instalado bajo su melena, en la nuca. Después aguardó a que Juan la volviera a llamar tocaya, pero transcurrieron dos semanas sin que apareciera por la pastelería.

Confió su impaciencia a Rosa, quien diagnosticó que estaba enamorada. Fue un descubrimiento maravilloso, porque era su primer amor, igual que en las películas. A menudo Rosa le relataba sus experiencias amorosas y Juana sentía gran envidia, deseando que llegara el día en que pudiera decirle no solamente que estaba enamorada, sino que tenía un «firmeza». Comprendía la seriedad de la diferencia. Y no dejó de ser humillante que Rosa definiera sus sentimientos antes que ella supiera qué nombre darles. Pero no era raro, ya que Rosa tenía tres años más que ella y era rubia.

Cuando Juan Acevedo regresó después de esas dos semanas, no la llamó tocaya en todo el tiempo que permaneció en el negocio. En realidad casi no le dirigió la palabra, aunque la trataba con la amabilidad de siempre. Juana, entretanto observaba las grandes manos morenas del muchacho revolviendo las cartas del dominó en la mesa. Imaginó esas manos sobre su cuerpo redondo y liso, o tocando sus manos frías. Tuvo miedo, pero no pudo dejar de imaginarlas. El patrón se vio obligado a pedirle cerveza dos veces antes que Juana lo oyera. Al poner una botella ante Juan, él le agarró el muslo por debajo de la mesa. Juana tembló. No sabía si era realidad o si sucedía en su imaginación.

El patrón le dio permiso para irse. Esta vez Juana

no se quedó. Se puso el abrigo y se fue a su casa. Tenía un calor especial, movedizo e insistente, que se localizaba de pronto en los sitios más insospechados de su persona.

Esa semana apenas logró dormir. Aunque no pensaba mucho en Juan, de pronto se le ocurría que andaba cerca, en la esquina, por ejemplo, o debajo de su cama, y que la iba a tocar. Cuando el muchacho por fin volvió al negocio, traía las manos manchadas con grasa y una sonrisa inmensa en la boca. Exclamó:

—¡Sírvame un sandwich de lomito en marraqueta! ¡Y póngame media docena de maltas en la mesa! ¡Señor Hernández, esta vez convido yo!

Estaba contento porque al fin le habían dado el trabajo en el garaje. Conversó con los hombres de la mesa del lado y les pagó una corrida de maltas. Reía con seguridad, y jamás brilló de tal modo la pifia de oro en sus dientes, bajo el bozo que, aunque joven, ya recortaba.

Cuando Juana estaba lavando unos vasos en el pequeño cuarto adyacente, las cortinillas se alzaron y entró Juan.

—Permiso, usted sabe que la cerveza... —dijo.

—Pase no más, yo ya me iba —respondió ella.

Pero no se movió. En el lavaplatos el chorro caía con fuerza sobre los vasos. Más allá de la cortinilla se oían voces, y el ruido del dominó en la mesa. La pieza era estrecha y oscura. Acevedo tomó a Juana por la cintura, apretándola. En la calle una bocina atravesó la noche, y la muchacha, aterrada, luchó por desprenderse. Pero sólo un segundo. Después, viendo que un hilillo de luz partía el rostro de Juan como una herida, acarició esa herida. Él, con su mano grande y caliente y engrasada, hurgó en el escote de Juana. Ella lo sintió duro y peligroso apretado contra su cuerpo, y tuvo miedo otra vez.

—No, no, por favor...

—Ya, pues, Juana, no sea tonta.

No le dijo tocaya. Se desprendió con violencia y volvió al mesón. Desde allí escuchó cómo Juan orinaba.

Estaba furiosa cuando regresó a su casa. Furiosa, pero con ganas de reírse sola y de tocar cosas. Esa noche, dentro del lecho, palpó las desnudeces de su cuerpo, pero sus manos no eran como las manos ásperas y calientes del muchacho. Tardó mucho en dormirse.

Después de eso, Acevedo iba menos al negocio. El patrón, que era sentimental como buen soltero y gordo, dijo que ahora que estaba ganando y pagaba su consumo, prefería ir a negocios más alegres y concurridos.

Pero, aunque no iba tanto como antes al negocio del señor Hernández, de todas maneras iba. Se dejaba caer a eso de las once, cuando quedaba poca gente y la noche reposaba lisa y fría en torno a los faroles de la calle. Llegaba, bebía una malta o comía un sandwich, conversaba un rato con el patrón, y después partía. Casi no miraba a Juana. Pero ella no dejaba de observarlo: había comprado un traje café de segunda mano. La chaqueta le quedaba bien, pero los pantalones le quedaban anchos, de modo que el cinturón los abultaba en la cintura. Sin embargo, no se veía mal, sobre todo cuando llegaba con la bufanda azulina enrollada al cuello.

Una noche llegó más contento que nunca, diciendo que dentro de dos días debía partir a Los Andes para hacer la guardia. Hernández le deseó felicidad y Juana le sonrió desde el mesón. Pero después la muchacha entró al cuarto del servicio para llorar un ratito.

Cuando Juana caminaba a su casa esa noche, Acevedo le salió al encuentro en una esquina. Ella apresuró el paso, cubriéndose la cabeza con un diario para protegerse de la llovizna. La abordó diciéndole:

—No se apure tanto. ¿Pa qué me tiene miedo?

Juana caminó más despacio, sin responder. Siguieron en silencio unos pasos. Más allá, tomándola por la cintura, la condujo a una calle sin luz.

—Venga —dijo, y la llevó al umbral de una casa—. Quería despedirme de usted.

La abrazó, besándola en la boca. Ella se dejó, sintiendo toda la fuerza del muchacho tensa contra su cuerpo. Pero no se movió porque no hubiera sabido qué hacer. Tenía miedo. Tiritaba de frío cuando Juan le abrió la blusa. En la puerta, se asomó un perro meneando la cola, y después se fue. Pero si no pasaba aquello que desconocía haciéndola temblar, moriría de desesperación. No las quería, y, sin embargo, no hubiera soportado que se fueran esas manos ávidas y mojadas de lluvia que acariciaban la piel tibia de sus senos, sus pezones diminutos que iban a estallar. Afuera pasó un auto, el muchacho se detuvo mientras la luz desaparecía, y luego continuó. Cuando supo que el momento estaba próximo, Juana comenzó a quejarse diciendo:

—No, no, por favor, no sea malo, déjeme...

Pero lo acarició mientras él indagaba sobre el calor de su vientre y de sus piernas. Repentinamente, el dolor fue feroz, pero se dejó porque si luchaba sería peor. Sería peor y no lo tendría a él. Además, la tenía cargada contra la manilla de la puerta. Juan resoplaba y resoplaba, pero no le decía tocaya. Después se desmoronó sobre el cuerpo de su compañera, que lloriqueaba por sentirse dolorida y húmeda. Entre sus sensaciones buscaba a cuál llamar placer. La cara de Juan había caído sobre el cuello de la muchacha y ella le acarició la nuca. Cuando sintió junto a su oreja el pestañear de Juan, que así respondía a su caricia, Juana murmuró:

—Tocayo...

Él rió, y su risa fue un resoplido tibio en el cuello

de Juana.

—Tocaya... —respondió.

Y se quedaron inmóviles un rato, ambos cansados y doloridos e incómodos.

Luego Juan Acevedo acompañó a su amiga hasta la casa en la cuadra siguiente. Ella le preguntó cuánto tiempo estaría en Los Andes y él le dijo que por lo menos un año. Estaba contento. Juana se alegró con él. En la puerta de la casa le deseó buena suerte y se dieron la mano al despedirse. La mano de Juan estaba tibia porque la traía en el bolsillo del pantalón. La de ella era muy chica y fría y blanda.

Al acostarse Juana sintió un dolor terrible. Pero como estaba fatigada se quedó dormida rápidamente, pensando en la cara que pondría Rosa al día siguiente cuando le contara que por fin tenía un «firmeza».

EL GÜERO

NO BIEN BAJÉ del tren en la estación de Veracruz, me descompuso aquel mundo bullicioso y caldeado, tan distinto a cuanto conocía. Tuve el desagradable presentimiento de que todo iba a andar mal en ese desorden de gentes y cosas. En efecto, así fue, al principio, porque en el andén mismo extravié parte de mi equipaje. Luego, el chofer de taxi tardó demasiado en localizar el hotel donde debía hospedarme, y una vez allí me enojé con el encargado porque la ducha que con ansias aguardara durante mi viaje no funcionó hasta después de la revisión del plomero.

Ya resueltos los problemas del primer momento, bajé a la calle, y con el fin de beber algo fresco me senté a una mesita en el portal que se abre a la plaza principal de Veracruz. Mi desasosiego se desvaneció como por encanto, dejándome maravillado con cuanto mis sentidos iban descubriendo. Durante mi viaje por las ciudades de la meseta mexicana me había impacientado por terminar con ellas de una vez y bajar por fin al trópico. Era lo que veía desde mi mesa. En una oleada volvió mi fe —la fe de los que son muy jóvenes y sólo conocen latitudes templadas— de que en estos parajes llenos de exceso hallaría, sin duda, experiencias definitivas, mucho más ricas que cuantas hasta ahora conociera. Estaban al alcance de mi mano, casi podía palparlas, como mis dedos palpaban el vaso alto y fresco.

El sol ya había dejado de reflejarse en la cúpula de la inmensa parroquia color salmón de la acera de enfrente. Como todas las tardes, las nubes estallaban

sobre la rada enviando desde el Golfo un soplo que
humedecía y quemaba a la vez. A medida que iba os-
cureciendo, fue llegando más gente a la plaza, que
pronto estuvo colmada de tumulto y algarabía. Creció
la música de las marimbas ambulantes. Las muchachas vestidas de colores estridentes paseaban sin prisa,
respondiendo o no a los ojos de los hombres vestidos
de camisa y pantalón blancos que holgazaneaban en
grupos, haciéndose lustrar los zapatos o discutiendo
el precio de una rebanada de piña con el vendedor.
A una cuadra de distancia, detrás de los portales, las
grúas chirriaban en los muelles, cargando barcos que
partían o llegaban de Jamaica y Belice, Mérida y Tam-
pico, La Habana y Puerto Limón.

Aunque no está situado frente al sector más animado de la plaza, el Café de la Parroquia es lo más
criollo que hay en Veracruz. Por las tardes acuden allí
los industriales y políticos de la ciudad, con sus familias o sin ellas, para charlar con cualquier conocido que esté buenamente dispuesto a perder un rato
mientras paladean algún refresco. Suelen verse también hacendados de tez amarillenta, que, de paso para
sus ingenios de quina o azúcar, aguardan en el pueblo
el avión que los llevará a Tabasco, Chiapas o Quintana
Roo. Muchos turistas norteamericanos llegan a Veracruz, pero son pocos los que acuden al Café de la Parroquia, porque en general prefieren los portales de
los hoteles más cosmopolitas del lado opuesto de la
plaza.

Yo sabía todo esto, y fue lo que me hizo dirigirme
a ese café en cuanto salí del hotel. Sin embargo, poco
después de instalarme, me sentí defraudado al oír
acentos nasales típicamente yanquis en la mesa contigua. Eran tres mujeres. Nada en ellas llamaba la atención a primera vista, por ser entradas en años y carentes de belleza. Pero en el momento en que me disponía a cambiar de mesa reparé de pronto en una de

ellas. No iba vestida con ese seudoexotismo de faldas floreadas y joyas bárbaras que tantas norteamericanas de cierta edad creen de rigor al viajar por México. Era la más anciana de las tres y vestía falda caqui. Su rostro era sólo cutis tostado adherido a huesos finos coronado por una corta maraña de pelo gris. En el momento en que nuestros ojos se cruzaron hizo algo extraño: me sonrió. Luego como si tal cosa se caló las gafas y sacando lana y palillos de una bolsa comenzó a tejer sin interrumpir su conversación. No cambié de mesa y presté atención.

Hablaba con sencillez y autoridad sobre cosas mexicanas, sobre ciudades y plantas y gentes. Era botánica de profesión y había vivido largos años en el país. Sus compañeras eran turistas que el azar del viaje reuniera con Mrs. Howland, la mujer de pelo gris.

—Tráeme otra coca-cola, güero —dijo al mozo.

—Ahorita, güera —contestó.

En México la palabra «güero» significa rubio, pero en son de amistad se les da a quienes parecen no tener sangre india ni negra. El mozo era cualquier cosa menos rubio, pero como su tez no era excesivamente oscura, la palabra era natural. Me hubiera gustado conocer a Mrs. Howland. Esa sonrisa y la tranquilidad que su persona emanaba me indicaron que vivía y conocía como a mí me hubiera gustado vivir y conocer.

El muchacho trajo la coca-cola a Mrs. Howland, que después de beberla dijo que ya era hora de partir, porque a la mañana siguiente madrugaría. Sus amigas le preguntaron a dónde iba. Respondió que a Tlacotlalpan, un pueblo río Papaloapan arriba, a cinco horas en lancha desde Alvarado. Habló un instante acerca de ese pueblo antiquísimo a orillas del «Río de las Mariposas», aislado en medio de la selva. Lo evocó con tal fuerza, que las imágenes que sus palabras suscitaron en mí hicieron que cuanto veía desde mi mesa me pareciera repentinamente banal: las palmeras de la plaza, las marimbas en los portales atestados, las sonrisas lentas que blanqueaban bajo los sombreros claros, no eran sino parte de un afiche vulgar para atraer a los turistas. Yo era muy joven, y me avergonzaba de mi dicción de turista, deseando llegar a ser de los elegidos que nunca saben serlo. Quizás en las palabras de Mrs. Howland hubiera un camino.

Me sonrió de nuevo antes de quitarse las gafas y guardar el tejido para partir. Se despidió de sus compañeras y la vi alejarse por la lluvia que se desató sobre la ciudad, haciendo que la plaza quedara desierta. Volví al hotel, y después de averiguar que Alvarado está algunos kilómetros al sur de Veracruz, pedí que me despertaran temprano a la mañana siguiente para tomar el autobús.

Lo primero que vi al llegar a Alvarado, en el pequeño muelle junto a las ventas de fruta y de pescado frito, fue a Mrs. Howland. Sentada en su maletín, se divertía en observar cómo descargaban galápagos de los lanchones. Nadie parecía reparar en ella, lo que no dejaba de ser curioso, porque en México se mira mucho al extranjero, y esta mujer vestida de pantalón caqui y cucalón bien valía una mirada. Por lo menos era más extraña que yo, que a pesar de ser poco espectacular de aspecto y simple de indumentaria, mucha gente del pueblo se daba vuelta, diciéndome con desenfado: «¡Adiós, güero!...» Quizá fuera porque yo miraba demasiado, deslumbrado por el color y el movimiento de la mañana, y por la perspectiva del río abierto que extendía su lentitud hasta el horizonte.

La lancha atracó, llenándose pronto de pasajeros, que tomaron asiento detrás de las sucias cortinas de lienzo que colgaban del techo a modo de protección contra el sol. Cargaron jabas de refrescos, y Mrs. Howland se instaló entre personas que llevaban bultos y niños y canastos.

Trepé al techo porque no quería que las cortinas

me impidieran la vista del paisaje. Estaba seguro de que mi bello sombrero jarocho, de alas amplias y flexibles, era suficiente defensa contra la brutalidad del sol.

La lancha partió. Me recosté, apoyando la cabeza en mi mochila, y observé cómo desaparecía el pueblo que jalonaba los cerros con sus casas blancas y sus mechones de palmeras y mangos. Luego no quedaron más que cielo pesado, el calor hiriente en el aire húmedo y las ásperas líneas oscuras de las riberas. Avanzábamos lentamente, dejando una estela de olor a gasolina al sortear los bancos de jacintos flotantes.

La voz de Mrs. Howland turbó mi contemplación:

—Señor, señor, baje. Le va a dar insolación.

Me incliné por el borde del techo y respondí:

—No tenga cuidado, señora, estoy acostumbrado al sol. Además, este sombrero...

—Jovencito —interrumpió su voz impaciente—, ni los que han nacido en estos lugares se atreven a hacer eso. No sea tonto, baje inmediatamente...

Me hizo sitio a sus pies entre los viajeros acumulados en la lancha. Mrs. Howland tejía, tejía algo cuya forma no adiviné, tejía con calma, como si nada sucediera.

—La cerveza es lo mejor para el calor —dijo de pronto—. Vo ya pedir una.

Pedí dos al encargado. Empinamos nuestras botellas y, después de limpiarse la boca, Mrs. Howland dijo:

—Lo vi ayer en el Café de la Parroquia...

—Sí, estuve en la tarde. Usted me dio la idea de venir a Tlacotlalpan...

—¿Nunca lo había oído nombrar? —preguntó, quitándose las gafas y deteniendo su tejido—. Es un pueblo maravilloso. Existe desde hace siglos a orillas de este río y nada ha logrado perturbarlo. Cercado por la selva y las plantaciones de cocoteros, su único contacto con el mundo es esta lancha y los barcos que llegan en la temporada para transportar la cosecha.

—¿Usted vive allá?

—Ahora no, pero en otra época viví en Tlacotlalpan. Hace años que no vuelvo. Dicen que nada ha cambiado.

—¿Y por qué no había vuelto? —pregunté a costa de parecer intruso.

—Mi marido murió hace pocos meses y sólo ahora tengo libertad para venir. Él odiaba Tlacotlalpan. Está tan lleno de recuerdos dolorosos que jamás me permitió volver. Con la muerte de mi marido se terminó todo para mí... Ahora vengo para ver si en el pueblo que presenció lo más importante de mi existencia logro encontrar algo de intensidad para los años que me quedan por vivir. Mi marido, como yo, era botánico...

Se quedó en silencio unos instantes, y vi que en su mente se estaban ordenando ideas y emociones diferentes. Las cortinas apenas se balanceaban junto a su rostro oscuro. Repentinamente, como si se hubiera zambullido en su pasado, se irguió sacando a flote esta pregunta:

—¿Conoce usted esa clase de personas que viven según teorías, teorías que estipulan el nombre preciso y el peso exacto de cada cosa, desterrando con eso toda posibilidad de misterio?

Pareció agotarse con la fuerza de la pregunta, porque hubo un nuevo silencio. Pero la pregunta de Mrs. Howland se repetía y se repetía en mis oídos, como si la lancha arrastrara sus palabras. No supe, ni creí necesario, responder. El tono de su voz fue más tranquilo al continuar:

—Mi marido y yo éramos especímenes perfectos de ese tipo humano. Ambos pertenecíamos a familias ricas, vinculadas a los mejores círculos científicos e intelectuales de nuestro país. Nos conocimos como compañeros de estudios en una universidad pequeña, pero de gran prestigio. Admiré a Bob desde que lo conocí. Era el estudiante más distinguido de la facultad, además de ser alto y rubio, bellísimo hasta sus últimos días. Los años que duraron nuestros estudios trabajamos juntos y pensamos juntos en unión perfecta. Estábamos convencidos de que no existía gente más clara, más sana y más inteligente que nosotros. Los lazos de familia eran absurdos, los prejuicios de raza y clase una imbecilidad, la ciencia lo único que importaba, y la gente en general, aburrida y vulgar. Nos casamos al recibir el título. Teníamos todo: belleza (no se vaya a reír, yo fui bella en otro tiempo), cultura, inteligencia, salud, y por lo tanto no cabían sorpresas desagradables en nuestras vidas planeadas con tanta claridad. Nos interesaba cierta rama especialísima de la botánica experimental. Nuestrros puntos de vista eran novedosos, a la vez que académicos, y la universidad nos contrató como ayudantes de cátedra.

»¿Conoce la vida en una universidad pequeña en los Estados Unidos? Bueno, sabrá entonces que es el ambiente más propicio para gente como nosotros. Trabajábamos apasionadamente durante el día, y por las tardes salíamos a caminar bajo los árboles vetustos, dando migas de pan a las ardillas de los prados y saludando a los muchachos conocidos, mientras veíamos iluminarse una a una las ventanas de los dormitorios. De vez en cuando asistíamos a reuniones, vestidos siempre con nuestros mejores tweeds. Se hablaba de política, de ciencia, de libros, o bien se comentaban los últimos chismes de ese universo limitado. Una vez por semana nos visitaban nuestros alumnos predilectos y les servíamos té, para demostrarles que nosotros también éramos humanos.

»Nuestra vida en la universidad duró unos cuantos años felices. Más tarde nos trasladamos a Nueva York a hacernos cargo de puestos que allí nos ofrecieron. Al principio nos sentimos muy solos en la inmensa ciudad, uniéndonos como nunca en torno a nuestro trabajo. Pero Nueva York es un monstruo que devora hasta el último ápice de humildad. Bob emprendió una investigación en gran escala cuyos resultados no se apreciarían hasta más tarde, algo serio, profundo, difícil, mientras yo me dejé tentar para escribir artículos de difusión en revistas seudocientíficas, con los que obtuve fama inmediata. Se me llegó a considerar una mujer brillante unida a un hombre opaco, a un ratón de laboratorio, que era incapaz de producir. Comencé yo también a convencerme de eso y a aburrirme junto a mi marido. Dejé mis buenos tweeds académicos y provincianos para acudir a los modistas de cartel. Era una aventura contemplar mi belleza envuelta en telas suntuosas y en las miradas de admiración de todos. Me alejé más y más de Bob y él de mí, pero antes de una ruptura definitiva me sentí embarazada. Nació el niño, pero murió a la semana. Con esto aumentó la distancia hacia mi marido, lanzándome a lo que llamábamos «la vida». Creía estar satisfecha con mi modo de existir, considerando que al ser civilizados no podíamos coartar nuestras inclinaciones. Me creía libre porque mandé toda obligación a paseo, pero en el fondo me atormentaba la conciencia de estar incapacitada para un trabajo a la altura del que Bob realizaba.

»A los nueve meses de llegar Bob borracho una noche, tuve otro niño, hijo suyo. Por entonces mi marido fue llamado a la Universidad de México, en calidad de profesor permanente. Yo estaba desorientada, pero aferrándome a los lazos algo ficticios que este hijo nos brindaba, acudí junto a él. El trabajo que Bob llevó a cabo fue brillantísimo; mientras, una envidia peligrosa me hizo separarme totalmente de él a través de esos diez primeros años en México, sin que me resolviera a dar pasos definitivos.

»Entretanto, y supongo que a modo de juego para entretener mi ocio, decidí que este hijo mío iba a ser un gran hombre. Desde temprano debía ser capaz de razonar por sí sólo y de actuar según sus inclinaciones, libre de toda oscuridad que entorpeciera lo que habría de ser la más plena de las vidas. Era un niño hermoso. Sus ojos inmensos eran del azul más hondo, más transparente que he visto, y su cabeza de forma perfecta era de oro liso y brillante y sedoso.

»Mike tenía nueve años cuando Bob se vio obligado a buscar recogimiento absoluto para escribir un libro basado en el vasto acopio de material que acumulara en sus años de enseñanza y experimentación. Necesitaba un sitio tranquilo donde hacerlo, y un amigo nos sugirió que la aldea de Tlacotlalpan era lo más indicado. Ese libro sería la obra básica de su vida, y aunque yo no tenía interés de enterrarme en la selva junto a un hombre que no amaba, creo que la perspectiva de la gloria que le granjearía su obra y el deseo de no quedar excluida de tan magna realización me indujeron a seguirlo.

»Me parece que ésta es la misma lancha en que hicimos ese primer viaje, hace veinte años. Aunque mucho hubiésemos viajado por México, era cosa sobrenatural encontrar una inmensa catedral pintada de ultramarino en un pueblo de dos mil habitantes, perdido en la selva. Las callejuelas, en que crecía pasto, estaban bordeadas por sólidas casas de un piso con portales a la calle, pintadas de rosa, amarillo, azul y verde. El río se arrastraba casi mudo junto al embarcadero de troncos, bajo los bananos, mangos y palmeras, llevando islas de jacintos azules. Las plantaciones de cocoteros, y más allá la selva, cercaban el pueblo junto al río. En los patios de las casas crecían tulipanes rojos, suspendidos como linternas de los arbustos que en la noche hervían de luciérnagas. Y había jaulas con loros, y corredores, y mujeres que arrastraban chanclos de madera por las baldosas pulidas y frescas de las habitaciones.

»¡Ah! ¡Esos primeros tiempos! ¡La belleza que recordada hiere más que vista por primera vez! ¡Y Amada Vásquez! Esa antigüedad en sus ojos de india, mezcla de magia y de religiones confusas y de terror. Es una burla del tiempo que viva aún y que yo vuelva a su casa como si nada hubiera sucedido. Ese patio color de rosa, esa mecedora en eterno movimiento, esos mosquiteros delicados como neblina, esas sábanas tiesas de almidón y limpieza existen todavía. Dentro de pocas horas la volveré a ver. ¿Vivirá todavía aquel loro al que mi hijo Mike enseñaba palabras inglesas? ¿Se estará meciendo aún en su alcántara junto al lavadero del pequeño muelle particular en la parte de atrás de la casa, abierta al río?

»En el momento mismo que saltamos al embarcadero, los que acudieron a presenciar la llegada de la lancha se acercaron a nosotros y viendo a Mike exclamaban maravillados: «¡El güero, el güero!...» Una mujer pasó su mano oscura por la cabeza dorada del niño. Comprobé con orgullo que no se asustaba.

»Mi marido dijo que se había enamorado de Amada Vásquez a primera vista. Era minúscula y oscura como una cucaracha, y caminaba muy rápido y casi sin moverse. Era vieja como el tiempo, con su cuerpo reducido, sus flacas y larguísimas trenzas apenas entrecanas, su rostro rugoso como una corteza. Arrendaba piezas a huéspedes selectos. Pero tanto nos encantó su casa que le rogamos nos la cediera completa, incluyendo sus servicios personales. Amada, que era soltera, se dedicaba a hacer albas para el ajuar de la parroquia. No sé cuántas veces la vería deshilando, bordando complicados diseños, agregando flecos y zarandajas con sus manos oscuras a inmaculadas piezas de hilo. En las tardes espesas de calor, solía sentarse en una mecedora de junco en el portal de su casa y cuantos pasaban le sonreían con respeto. La casa le había sido legada por unas señoritas de Lara, muy antiguas y muy puras, como premio por haber dedicado su vida a la comodidad de sus personas. A la muerte de Amada, la casa debía pasar a poder de la parroquia.

»Tardamos poco en instalarnos en casa de Amada. Mike adoró a nuestra anfitriona desde el primer momento, siguiéndola en todos sus quehaceres. En Ciudad de México jamás consentimos en enviar a nuestro hijo al colegio porque temíamos que allí se hiciera de prejuicios. Nosotros le enseñábamos cuanto nos parecía necesario para su educación. Pero iba a cumplir diez años en breve, y era una buena idea que comenzara sus estudios en la escuela pública de Tlacotlalpan, junto a los demás niños del pueblo. Debía adquirir así ese sentido de justicia y de igualdad que tanto nos interesaba que adquiriera.

»Lo llevé a la escuela a la semana siguiente de nuestra llegada. La preceptora, la señorita Hidalgo, se sintió muy honrada de recibir al «güero» entre sus alumnos. Esa mañana yo misma lo acompañé hasta la sala. Cuando Mike se instaló en uno de los bancos vacíos del medio de la clase, la profesora ordenó a un niño que ocupaba el primer banco que cambiara de sitio con él. No lo permití. Señalé especialmente a la señorita Hidalgo que deseaba, sobre todo, que no se hiciera diferencia con mi hijo.

»Es la visión más bella que guardo de él. Lo veo en aquella clase, en medio de esos hermosos muchachos morenos de ojos inquietos y experimentados como insectos negros, que se daban vuelta para mirarlo, mientras él sonreía desde su inocencia: era un ser distinto, perfecto, señalado.

»Cuando Mike regresó a casa esa tarde, me sorprendió ver que lo primero que hizo fue ir a su habitación y quitarse los zapatos.

»—¿Qué haces? —pregunté extrañada.

»—Es que soy el único que va con zapatos a la escuela —respondió. Había humillación en su voz—. Me molestaron.

»—¿Quisieron robártelos?

»—No. Al principio no se atrevían a acercarse a mí y estuve solo todo el primer recreo. Después se hicieron amigos y querían que les prestara mis zapatos para probárselos...

»Mike me contó que le tocaban el pelo y que incluso uno más atrevido había intentado introducirle un dedo en los ojos para tocar el azul. Todo esto me incomodó. Por muy estético que fuera ver a mi hijo asistir descalzo a una escuela pública en un pueblo perdido en la selva, no era posible. Expliqué al niño que nosotros éramos distintos, que la gente de nuestra raza es más delicada por no estar acostumbrada al clima de la región como sus compañeros de escuela, cuya raza se había ido adaptando al medio lentamente a través de los siglos. Pero Mike insistió en ir descalzo a la escuela. Le expliqué que por esa misma razón bebíamos sólo agua hervida, por ejemplo, y preparábamos nuestros alimentos de manera diferente. Con suma paciencia lo convencí de que sus pies no resistirían las asperezas del suelo ni del calor acumulado allí durante el día.

»A la mañana siguiente no vi salir a Mike. Cuál no sería mi sorpresa cuando pasadas las doce, mientras yo charlaba con Amada en el portal de la casa, vi doblar la esquina a la profesora que, seguida por un grupo de niños, traía a Mike en brazos.

»Corrí a su encuentro. La señorita Hidalgo me explicó que había creído idea nuestra enviar a Mike descalzo a la escuela. El niño estaba lloroso en sus brazos, con los pies heridos y amoratados. Las clases se habían suspendido y gran parte del alumnado acompañaba al «güero» hasta su casa.

»Pedí una explicación a Mike. Dijo que en la escuela lo habían desafiado a caminar por las baldosas quemantes del patio, y luego por unos abrojos. Éste era el resultado. Me quejé a la señorita Hidalgo, y me aseguró que no se repetiría.

»A medida que el tiempo avanzaba, el niño gustaba más y más de seguir a Amada por todas partes. Muchas veces los oía charlar en el cuarto vecino, y luego Mike venía a mí para comentar las historias que la vieja le contaba. Eran historias de pájaros y de animales maravillosos, de dioses buenos que protegían al mundo desde su morada en la fuente del río. Pero sucedió algo extraño: a medida que se aficionaba a estas historias, fue dejando de venir a mí para relatármelas. Sin embargo, me gustaba verlos juntos. Lavando de rodillas al borde del río, Amada se inclinaba y se erguía, se inclinaba y se erguía, hablando con Mike, que sentado a su lado en el muelle salpicaba con los pies en el agua.

»Desde que llegamos a Tlacotlalpan, lo que más fascinó a Mike fueron las embarcaciones. Y no sin razón. Eran mágicos esos botes de colores que se mecían atados al muelle día tras día; y aquellos en que al caer la tarde, bajo el cielo arrebolado de los crepúsculos en que no había tormenta, los trabajadores regresaban de sus faenas en la orilla opuesta; y los que, tumbados entre las raíces de algún mango gigante, eran como animales cansados buscando refugio en la sombra. Mike iba mucho al muelle. Lo acompañaban en estas excursiones los hermanos Santelmo. Estos muchachos eran sanos y bellos, y yo cultivaba su amistad para mi hijo porque no eran serviles, como lo fuera Ramírez, el primer amigo que Mike tuvo en Tlacotlalpan. Cultivaba también su afición por los botes, porque quizás esto lograría alejarlo un poco de Amada, que me estaba dando que pensar.

»Amada me estaba dando que pensar por varios motivos. Al principio había creído que la admiración de esta mujer por nuestras ventajas materiales, como asimismo la que todo el pueblo nos profesaba, era incondicional. Pero con el transcurso del tiempo fui comprobando que la admiración no era pura, que un elemento desconocido la viciaba.

»Recuerdo que una tarde, al volver de una visita al párroco, con quien habíamos hecho amistad, oí voces en mi cuarto. Me asomé, y cuál no sería mi sorpresa al ver a Amada vestida con una de mis faldas, remedando mis modales ante dos comadres que reían con la comedia. Mis cajones estaban revueltos y mis cosas por el suelo. La mímica de Amada era perfecta. Remedaba mi modo de caminar y con mi entonación característica murmuraba palabras incoherentes que debían ser inglés. Enrojecí al verme tan cruelmente caricaturizada, y entrando le ordené que guardara mis cosas. Para que no se enfadara le regalé la falda que llevaba puesta, y quedó feliz.

»Luego comenzaron a desaparecer objetos que nos pertenecían, sobre todo juguetes de Mike. Lo interrogué al respecto y no supo qué contestar. En silencio, ya que nada se podía decir contra Amada sin que el niño se encolerizara, atribuí las pérdidas a la codicia de nuestra anfitriona. Me importó poco la pérdida de tanto objeto sin valor porque las ventajas de vivir en casa de Amada eran incontables.

»Una noche Mike despertó llorando. Bob y yo acudimos junto a él. Después de murmurar una serie de incoherencias volvió a dormirse. Pero las pesadillas comenzaron a ser frecuentes. Solía despertar dando gritos, sollozando, pidiendo que Amada acudiera junto a él. Hablaba de ríos, de tesoros, de dioses y de noches tormentosas, pero no llegué a inquietarme, porque atribuí estas alteraciones al cambio de ambiente. Sin embargo, no dejé de mirar a nuestra patrona con malos ojos, por considerar que ella había llenado la cabeza de Mike con las patrañas que deshacían el equilibrio que yo deseaba para él.

»El tiempo avanzaba y Bob no hacía otra cosa que

escribir. El libro crecía. Pero el trabajo que yo desarrollé para la obra fue tan ineficaz que no pude dejar de convencerme de que me había incapacitado definitivamente para esta clase de labor. Me dolía confesar que la ciencia ya no tenía interés para mí. Bob me interesaba menos. Decidimos separarnos a la vuelta, y yo no hacía más que suspirar porque llegara el momento de poner punto final al libro. Lo único que me daba algo de placer era contemplar a Mike. Se adaptó admirablemente al ambiente y a sus compañeros de estudio, haciéndose de muchos amigos entre ellos. Al principio Mike fue tímido en la escuela, y eligió amigos tímidos. Después la timidez se trocó en audacia, y eligió amigos también audaces. Se entretenían en juegos tan intensos y serios que no pude menos de percibir una nota de peligro en ellos.

»Cierta tarde recibí visita de la señorita Hidalgo. Le costó concretarse, pero después de muchos circunloquios me confesó que ya no podía con Mike. Tenía sublevado a un grupo de muchachos. Si el «güero» les proponía no asistir a clase, todos lo seguían en sus andanzas por las plantaciones, los bosques y el río. Si Mike rehusaba hacer sus tareas, los demás hacían lo mismo. Otras veces, mediante lo que la solterona denominó regalos soberbios, obligaba a los estudiantes más aplicados a hacerle sus trabajos. Ésta, y no la que yo supusiera, era la causa de la desaparición de tantos objetos de su cuarto. Me dolió recordar las veces que lo había interrogado al respecto, cuando afectaba una inocencia tan perfecta que yo creí sin dudar. La señorita Hidalgo se quedó toda la tarde contándome muchas cosas sobre Mike. Por ejemplo, le parecía que el «güero» relataba ciertas historias a sus compañeros, historias que todos guardaban en el mayor secreto. A menudo lo veía encuclillado en un rincón del patio con un grupo de muchachos alrededor. Era un grupo de elegidos, que andaban con la cabeza en alto, y los que no pertenecían se esforzaban por agradar al «güero» para ingresar.

»Creí que eran exageraciones de solterona. De todos modos increpé a Mike por no haber dicho la verdad a propósito de la desaparición de sus juguetes, pero me pidió que no me enojara. Dijo que era natural que deseara regalarlos porque eran cosas extraordinarias para sus amigos, mientras que a él no le interesaban.

»Una mañana, al acompañar a mi hijo hasta la puerta cuando partía para el colegio, vi que por lo menos diez condiscípulos lo aguardaban en el portal del frente. Esto me desagradó, pensando en lo que la señorita Hidalgo dijera. Cuando el niño regresó esa tarde, lo interrogué.

»—Es que me tienen admiración... —respondió.

»—¿Admiración? —pregunté asombrada—. Serás muy buen alumno o habrás hecho algo muy importante.

»—No, no es por eso. Es que se dan cuenta de que soy distinto.

»—¿Distinto?

»—Sí, distinto. —Luego agregó con tono desafiante—: ¿No me lo dijiste tú misma cuando pasó lo de los zapatos?

»No supe qué actitud tomar. ¿Eran éstos los frutos de mis teorías y de mis buenas intenciones? Lo reprendí vivamente. Era demasiado difícil aclarar las cosas a un niño de diez años, y yo ya no tenía fuerza más que para pensar en nuestra vuelta a la civilización. Permanecí en silencio zurciendo un calcetín bajo la lámpara en torno a la cual zumbaban los insectos. Mike estaba hojeando un libro y miraba hacia la puerta de vez en cuando. Amada había salido. Debía volver en breve para servirnos la cena. Mike dijo de súbito:

»—Amada también dice lo mismo y la señorita Hidalgo lo piensa y se lo dice a todos...

»Parecía desear una discusión. Tuve miedo y sólo

atiné a decir:

»—Esto tiene que cesar inmediatamente...

»Prosiguió:

»—¿Entonces no supiste lo que pasó con la mamá de los Santelmo y la de Ramírez? Es muy divertido. Todo el pueblo lo sabe. ¿Te acuerdas de que yo era amigo de ese tonto de Ramírez al principio, y que después me aburrí con él y me hice amigo de los Santelmo? Bueno, las dos familias son vecinas. Cuando me hice amigo de los Santelmo y no quise juntarme más con Ramírez, las familias pelearon. Ahora no se saludan. Dicen que un día la mamá de Ramírez se encontró con la señora Santelmo en el muelle y que la empujó al agua y casi se ahogó...

»El tono del relato me aterrorizó de tal manera que no me atreví a alzar la vista del zurcido. Adopté una actitud crédula:

»—¿Y por qué te quieren tanto? Debes de ser un niño muy bueno...

»Al oír esto, Mike me miró con la expresión más perturbadora que he visto en los ojos de un niño. Había risa mezclada con el más profundo desprecio por mi simpleza. Era como si yo hablara con un ser mucho más viejo e infinitamente más sabio que yo. Mi hijo había adquirido una dimensión que yo no podía controlar.

»—Sí, es por eso... —respondió.

»—¿Y nada más que por eso?

»En ese momento llegó Amada. Mike se fue con ella y no me atreví a impedírselo.

»Quise explicar mis temores a Bob, pero nada comprendió porque estaba pensando en el libro que pronto terminaría. Dijo que era inútil preocuparse, puesto que partiríamos dentro de un mes. Por lo demás, ni yo misma comprendía las cosas con exactitud. Pero mientras Bob trabajaba, yo tenía tiempo de sobra para inquietarme con Mike. El niño tenía dos estados: junto a

73

Bob y a mí era cabizbajo y solapado; parecía estar siempre pensando en otras cosas. En cambio, cuando Amada o los Santelmo lo acompañaban, su estado era de ebullición y audacia. Sus noches de pesadilla eran bastante frecuentes, y a veces decía en ellas que lejos, en la fuente del río, vivían los poderosos dioses rubios y que quien llegara hasta su morada sería su igual. Hablaba de un pájaro que alumbraba el bosque con su plumaje de oro, hablaba de Amada y de embarcaciones que en la noche remontaban el río.

»La señorita Hidalgo se quejó de nuevo que ya no podía con Mike: nadie iba a clase por seguirlo en sus andanzas. Yo tampoco podía con él. Muda, observaba el cambio que se operó en él a lo largo de nuestra vida en Tlacotlalpan, en contacto con tanta fuerza primitiva, cerca de Amada y de esos niños cuyos ojos conocían el vocabulario anciano de la selva y del río. Mike mismo era como un río que se hubiera desbordado con las lluvias. Todas las fuerzas parecían haberse derramado dentro de mi hijo, y como yo estaba ciega, no me di cuenta de que era demasiado frágil para soportar el peso. Digo ciega, porque mi fe era que el contacto con Mike serviría de elemento civilizador a esos niños, ya que no sólo para mí, sino también para ellos, era un ser superior. No supe que ellos, y cuanto los rodeaba, ensancharon la vida de Mike hasta el punto en que todo lo misterioso y todo lo que vibra con fuerza oculta llegó a ser su elemento natural.

»Toda una tarde sopló ese viento negro que desordena la tersura del cielo, y en la noche las nubes pesadas estallaron en relámpagos y lluvia, encerrando el pueblo y el río rugiente y la inmensa selva embravecida en una habitación de calor irrespirable. Era una de las tantas borrascas ardientes que en Tlacotlalpan presenciáramos, y nos dirigimos sin mayor preocupación a casa del padre Hilario, donde estábamos invitados a cenar. Al pasar junto al muelle notamos que, debido a la tempestad, todos los botes menos uno habían sido retirados. El que quedaba crujía al ser lanzado por las olas, y como no sabíamos de quién era no pudimos avisar a su dueño para que salvara lo que seguramente era su única fortuna.

»La cocinera del padre Hilario, que nos quería mucho, había preparado nuestros guisos preferidos. Tomábamos la sopa, cuando el buen sacerdote dijo:

»—Esto parece el fin de vuestra famosa civilización...

»Bob y yo no dejamos de ver que se aproximaba la discusión que tantas veces repitiéramos, pero que a don Hilario parecía incansablemente interesante; después de vivir diez años en el trópico, una tormenta más no podía parecerle extraordinaria.

»Cuando nos disponíamos a partir tras mucha comida y mucha charla, escuchamos los gritos de un niño en la puerta. Pálida, me puse de pie y corrí a abrir. El viento entró en la casa y, en el umbral, vi al pequeño Ramírez que me miraba, temblando, empapado por la lluvia y sin decir palabra. Comprendí instantáneamente que por fin se había desencadenado lo que durante toda nuestra permanencia en Tlacotlalpan se preparaba. Después de eso, mis recuerdos de aquella noche son confusos. Pero más tarde, por boca del mismo niño que gritara en la puerta del padre Hilario, y que había formado parte del juego hasta el último momento, supe cómo sucedió.

»Parece que esa noche, en cuanto partimos y Amada se retiró a su habitación, Mike se vistió para salir. Nunca sabré, y prefiero no saberlo, si sucedió con el consentimiento de Amada. Prefiero pensar lo contrario.

»Hoy cierro los ojos y lo veo todo con la imaginación. Mike corre por el pasto empapado de la calle, y la lluvia chorrea de su cabeza dorada de pequeño dios a quien los elementos no incomodan. En la esquina de la plaza se reúne con sus compañeros y se dirigen al muelle. Al ver que el cielo oscuro se triza de rayos vivos, al sentir el viento caliente que encabrita las aguas y la selva, Ramírez, que a pesar de todo era de la partida, comienza a fallar. Parece que no soportó la idea de que Pedro Santelmo, y no él, fuese el lugarteniente de Mike, y eso, o el terror, lo hicieron reconsiderar su decisión. Este niño me contó que Mike solía relatar las historias de Amada a sus compañeros, sobre todo aquella historia de los dioses rubios que vivían en la fuente del río, y que era necesario llegar hasta allí en una noche de tormenta para ser igual a ellos. Mike los convenció de que así llegarían a poseer todo su poder, todas sus riquezas y toda su sabiduría. Ramírez dijo que la expedición se venía tramando desde tiempo atrás y que el jefe eligió sólo diez compañeros. Me imagino las promesas que mi hijo haría, si esos niños, hijos de gente temerosa del río por conocerlo tanto, se embarcaron sin titubear en aquella lancha mísera. ¿Acaso les prometería oro, o ser, como él, distintos? ¿O les prometería ese saber sobrehumano que ellos le atribuían? No sé...

»Desde el muelle, Ramírez los vio embarcarse. No puedo imaginarme cómo nueve niños, de diez a doce años, lograron hacerlo en una noche tan borrascosa. ¿De dónde sacaron fuerzas? ¿De dónde sacaron valor? No sé, no sé... Ramírez presenció sus esfuerzos por controlar la lancha, enceguecidos por la lluvia que azotaba, mientras ellos lo insultaban por no embarcarse. Bajo los gritos de mando de Mike desataron la lancha, se apoderaron de los remos y, con él al timón, se adentraron en el río revuelto.

»Llevaban una pequeña linterna en la embarcación. Me imagino sus rostros inclinados cerca de ella en la lluvia, junto a esa pobre luz, veo el rostro de mi hijo, serio e intenso, manejando el timón. Me imagino el esfuerzo salvaje pintado en el rostro de cada uno de esos niños. Me imagino la impotencia, la ira de su impotencia. Me imagino la embarcación exigua con su luz mísera saltando las olas negras del río furioso, y cómo se verían desde allí el puñado de luces que señalaban el pueblo en una ribera, y en la otra, la espesura de la vegetación ciega y caliente, iluminada por los rayos. Quiero imaginarme, y esto me produce siquiera algo de contentamiento, que el entusiasmo de su juego duró por lo menos algunos instantes. Que alcanzó grandeza la fe en su aventura en los pocos momentos antes que el terror se apoderara de ellos al ver que la lancha crujía y se desarmaba, antes que el trueno del viento y del agua ahogara sus gritos de alarma, antes que la lancha zozobrara, y que las aguas del río, enfurecido por el desacato de diez niños que osaron desafiarlo, se cerraran sobre sus cabezas...

Hacia el final del relato la voz de Mrs. Howland tomó el brillo y la precisión de una joya en ese aire caliente que parecía capaz de disolverlo todo, todo menos su timbre y sus palabras. Miré sus manos que aún tejían y creí adivinar la forma y el objeto de ese tejido. Observé su cabeza contra la cortinilla sucia: era eterna, sabia, oscura, como la cabeza de Amada Vásquez.

—El salvamento —prosiguió casi sin expresión en su voz— duró toda la noche. Junto con nosotros acudió todo el pueblo al muelle, con faroles y linternas que eran ineficaces en medio de la vasta oscuridad. Bob con otros padres pasó la noche recorriendo el río en una de las lanchas. No sé cómo fue que él también no pereció, pero nada temí al verlo embarcarse. Todo fue inútil. No se encontró el menor indicio de los niños. Oí decir que después de varios días aparecieron dos cadáveres cerca de la desembocadura del río. Pero ninguno era el de Mike.

»Abandonamos el pueblo tan pronto como pudimos. Yo odiaba ese pueblo nefasto, esa gente nefasta. Pero lentamente el tiempo fue reintegrando el orden dentro de mí, y hallé un nuevo amor al trabajo, y a Bob y a la gente. Tuve tiempo para pensar mucho y para trazar, por decirlo así, una línea alrededor de lo sucedido. Pero no una línea que lo separó de mi vida y del resto de las experiencias humanas...

Su voz quedó suspendida en el silencio, largo rato.

Dije que subiría al techo de la lancha para ver la llegada, pero creo que mi compañera no me oyó, tan concentrada estaba en su tejido. Me paré en el techo y dejé que el aire caliente bañara mi rostro. Cerré los ojos, y luego los abrí: era como si por primera vez estuviera viendo.

Nos acercamos a la línea verde de la ribera, matizada ahora de verdes y de árboles distintos, y de movimiento. De cuando en cuando aparecían pequeños muelles, casas sostenidas en pilotes sobre el agua, hombres de torso desnudo y sombrero blanco pasando de la sombra al sol. Un pájaro gritó en la selva: la línea de la nota se alzó larga y clara, recogiendo en sí todos los ruidos, porque hubo un silencio después. Tras un recoldo boscoso, vi alzarse las torres azules de la iglesia de Tlacotlalpan sobre los árboles y las techumbres.

No sé cuánto estuve allí, contemplando. Después recordé la advertencia de Mrs. Howland respecto al sol. Bajé, pedí una cerveza, y aguardé hasta que la lancha atracó. Al verme desembarcar los muchachos del pueblo me gritaron:

—¡Güero! ¡Güero! ¡Güero!

UNA SEÑORA

Para Martha Gibert

NO RECUERDO CON certeza cuándo fue la primera vez que me di cuenta de su existencia. Pero si no me equivoco, fue cierta tarde de invierno en un tranvía que atravesaba un barrio popular.

Cuando me aburro de mi pieza y de mis conversaciones habituales, suelo tomar algún tranvía, cuyo recorrido desconozca y pasear así por la ciudad. Esa tarde llevaba un libro por si se me antojara leer, pero no lo abrí. Estaba lloviendo esporádicamente y el tranvía avanzaba casi vacío. Me senté junto a una ventana, limpiando un boquete en el vaho del vidrio para mirar las calles.

No recuerdo el momento exacto en que ella se sentó a mi lado. Pero cuando el tranvía hizo alto en una esquina, me invadió aquella sensación tan corriente y, sin embargo, misteriosa, que cuanto veía, el momento justo y sin importancia como era, lo había vivido antes, o tal vez soñado. La escena me pareció la reproducción exacta de otra que me fuese conocida: delante de mí, un cuello rojizo vertía sus pliegues sobre una camisa deshilachada; tres o cuatro personas dispersas ocupaban los asientos del tranvía; en la esquina había una botica de barrio con su letrero luminoso, y un carabinero bostezó junto al buzón rojo, en la oscuridad que cayó en pocos minutos. Además, vi una rodilla cubierta por un impermeable verde junto a mi rodilla.

Conocía la sensación, y más que turbarme me agradaba. Así, no me molesté en indagar dentro de mi mente dónde y cómo sucediera todo esto antes. Despaché la sensación con una irónica sonrisa interior, limitándome a volver la mirada para ver lo que seguía de esa rodilla cubierta con un impermeable verde.

Era una señora. Una señora que llevaba un paraguas mojado en la mano y un sombrero funcional en la cabeza. Una de esas señoras cincuentonas, de las que hay por miles en esta ciudad: ni hermosa ni fea, ni pobre ni rica. Sus facciones regulares mostraban los restos de una belleza banal. Sus cejas se juntaban más de lo corriente sobre el arco de la nariz, lo que era el rasgo más distintivo de su rostro.

Hago esta descripción a la luz de hechos posteriores, porque fue poco lo que de la señora observé entonces. Sonó el timbre, el tranvía partió haciendo desvanecerse la escena conocida, y volví a mirar la calle por el boquete que limpiara en el vidrio. Los faroles se encendieron. Un chiquillo salió de un despacho con dos zanahorias y un pan en la mano. La hilera de casas bajas se prolongaba a lo largo de la acera: ventana, puerta, ventana, puerta, dos ventanas, mientras los zapateros, gasfíteres y verduleros cerraban sus comercios exiguos.

Iba tan distraído que no noté el momento en que mi compañera de asiento se bajó del tranvía. ¿Cómo había de notarlo si después del instante en que la miré ya no volví a pensar en ella?

No volví a pensar en ella hasta la noche siguiente.

Mi casa está situada en un barrio muy distinto a aquel por donde me llevara el tranvía la tarde anterior. Hay árboles en las aceras y las casas se ocultan a medias detrás de rejas y matorrales. Era bastante tarde, y yo estaba cansado, ya que pasara gran parte de la noche charlando con amigos ante cervezas y tazas de café. Caminaba a mi casa con el cuello del abrigo muy subido. Antes de atravesar una calle divisé una figura que se me antojó familiar, alejándose bajo la oscuridad de las ramas. Me detuve, observándola un instante. Sí, era la mujer que iba junto a mí en el tranvía la tarde anterior. Cuando pasó bajo un farol reconocí inmediatamente su impermeable verde. Hay miles de impermeables verdes en esta ciudad, sin embargo no dudé de que se trataba del suyo, recordándola a pesar de haberla visto sólo unos segundos en que nada de ella me impresionó. Crucé a la otra acera. Esa noche me dormí sin pensar en la figura que se alejaba bajo los árboles por la calle solitaria.

Una mañana de sol, dos días después, vi a la señora en una calle céntrica. El movimiento de las doce estaba en su apogeo. Las mujeres se detenían en las vidrieras para discutir la posible adquisición de un vestido o de una tela. Los hombres salían de sus oficinas con documentos bajo el brazo. La reconocí de nuevo al verla pasar mezclada con todo esto, aunque no iba vestida como en las veces anteriores. Me cruzó una ligera extrañeza de por qué su identidad no se había borrado de mi mente, confundiéndola con el resto de los habitantes de la ciudad.

En adelante comencé a ver a la señora bastante seguido. La encontraba en todas partes y a toda hora. Pero a veces pasaba una semana o más sin que la viera. Me asaltó la idea melodramática de que quizás se ocupara en seguirme. Pero la deseché al constatar que ella, al contrario que yo, no me identificaba en medio de la multitud. A mí, en cambio, me gustaba percibir su identidad entre tanto rostro desconocido. Me sentaba en un parque y ella lo cruzaba llevando un bolsón con verduras. Me detenía a comprar cigarrillos, y estaba ella pagando los suyos. Iba al cine, y allí estaba la señora, dos butacas más allá. No me miraba, pero yo me entretenía observándola. Tenía la boca más bien gruesa. Usaba un anillo grande, bastante vulgar.

Poco a poco la comencé a buscar. El día no me parecía completo sin verla. Leyendo un libro, por ejemplo, me sorprendía haciendo conjeturas acerca de la señora en vez de concentrarme en lo escrito. La colocaba en situaciones imaginarias, en medio de objetos que yo desconocía. Principié a reunir datos acerca de su persona, todos carentes de importancia y significación. Le gustaba el color verde. Fumaba sólo cierta clase de cigarrillos. Ella hacía las compras para las comidas de su casa.

A veces sentía tal necesidad de verla, que abandonaba cuanto me tenía atareado para salir en su busca. Y en algunas ocasiones la encontraba. Otras no, y volvía malhumorado a encerrarme en mi cuarto, no pudiendo pensar en otra cosa durante el resto de la noche.

Una tarde salí a caminar. Antes de volver a casa, cuando oscureció, me senté en el banco de una plaza. Sólo en esta ciudad existen plazas así. Pequeña y nueva, parecía un accidente en ese barrio utilitario, ni próspero ni miserable. Los árboles eran raquíticos, como si se hubieran negado a crecer, ofendidos al ser plantados en terreno tan pobre, en un sector tan opaco y anodino. En una esquina, una fuente de soda aclaraba las figuras de tres muchachos que charlaban en medio del charco de luz. Dentro de una pileta seca, que al parecer nunca se terminó de construir, había ladrillos trizados, cáscaras de fruta, papeles. Las parejas apenas conversaban en los bancos, como si la fealdad de la plaza no propiciara mayor intimidad.

Por uno de los senderos vi avanzar a la señora, del brazo de otra mujer. Hablaban con animación, caminando lentamente. Al pasar frente a mí, oí que la señora decía con tono acongojado:

—¡Imposible!

La otra mujer pasó el brazo en torno a los hombros de la señora para consolarla. Circundando la pileta inconclusa se alejaron por otro sendero.

Inquieto, me puse de pie y eché a andar con la esperanza de encontrarlas, para preguntar a la señora qué había sucedido. Pero desaparecieron por las calles en que unas cuantas personas transitaban en pos de los últimos menesteres del día.

No tuve paz la semana que siguió de este encuentro. Paseaba por la ciudad con la esperanza de que la señora se cruzara en mi camino, pero no la vi. Parecía haberse extinguido, y abandoné todos mis quehaceres, porque ya no poseía la menor facultad de concentración. Necesitaba verla pasar, nada más, para saber si el dolor de aquella tarde en la plaza continuaba. Frecuenté los sitios en que soliera divisarla, pensando detener a algunas personas que se me antojaban sus parientes o amigos para preguntarles por la señora. Pero no hubiera sabido por quién preguntar y los dejaba seguir. No la vi en toda esa semana.

Las semanas siguientes fueron peores. Llegué a pretextar una enfermedad para quedarme en cama y así olvidar esa presencia que llenaba mis ideas. Quizás al cabo de varios días sin salir la encontrara de pronto el primer día y cuando menos lo esperara. Pero no logré resistirme, y salí después de dos días en que la señora habitó mi cuarto en todo momento. Al levantarme, me sentí débil, físicamente mal. Aun así tomé tranvías, fui al cine, recorrí el mercado y asistí a una función de un circo de extramuros. La señora no apareció por parte alguna.

Pero después de algún tiempo la volví a ver. Me había inclinado para atar un cordón de mis zapatos y la vi pasar por la soleada acera de enfrente, llevando una gran sonrisa en la boca y un ramo de aromo en la mano, los primeros de la estación que comenzaba. Quise seguirla, pero se perdió en la confusión de las calles.

Su imagen se desvaneció de mi mente después de perderle el rastro en aquella ocasión. Volví a mis amigos, conocí gente y paseé solo o acompañado por las calles. No es que la olvidara. Su presencia, más bien, parecía haberse fundido con el resto de las personas que habitan la ciudad.

Una mañana, tiempo después, desperté con la certeza de que la señora se estaba muriendo. Era domingo, y después del almuerzo salí a caminar bajo los árboles de mi barrio. En un balcón una anciana tomaba el sol con sus rodillas cubiertas por un chal peludo. Una muchacha, en un prado, pintaba de rojo los muebles de jardín, alistándolos para el verano. Había poca gente, y los objetos y los ruidos se dibujaban con precisión en el aire nítido. Pero en alguna parte de la misma ciudad por la que yo caminaba, la señora iba a morir.

Regresé a casa y me instalé en mi cuarto a esperar.

Desde mi ventana vi cimbrarse en la brisa los alambres del alumbrado. La tarde fue madurando lentamente más allá de los techos, y más allá del cerro, la luz fue gastándose más y más. Los alambres seguían vibrando, respirando. En el jardín alguien regaba el pasto con una manguera. Los pájaros se aprontaban para la noche, colmando de ruido y movimiento las copas de todos los árboles que veía desde mi ventana. Rió un niño en el jardín vecino. Un perro ladró.

Instantáneamente después, cesaron todos los ruidos al mismo tiempo y se abrió un pozo de silencio en la tarde apacible. Los alambres no vibraban ya. En un barrio desconocido, la señora había muerto. Cierta casa entornaría su puerta esa noche, y arderían cirios en una habitación llena de voces quedas y de consuelos. La tarde se deslizó hacia un final imperceptible, apagándose todos mis pensamientos acerca de la señora. Después me debo de haber dormido, porque no recuerdo más de esa tarde.

Al día siguiente vi en el diario que los deudos de doña Ester de Arancibia anunciaban su muerte, dando la hora de los funerales. ¿Podría ser?... Sí. Sin duda era ella.

Asistí al cementerio, siguiendo el cortejo lentamente por las avenidas largas, entre personas silenciosas que conocían los rasgos y la voz de la mujer por quien sentían dolor. Después caminé un rato bajo los árboles oscuros, porque esa tarde asoleada me trajo una tranquilidad especial.

Ahora pienso en la señora sólo muy de tarde en tarde.

A veces me asalta la idea, en una esquina por ejemplo, que la escena presente no es más que reproducción de otra, vivida anteriormente. En esas ocasiones se me ocurre que voy a ver pasar a la señora, cejijunta y de impermeable verde. Pero me da un poco de risa, porque yo mismo vi depositar su ataúd en el nicho, en una pared con centenares de nichos todos iguales.

FIESTA EN GRANDE

ALBERTO ALDEA —el «Beto», como lo llamaban en la oficina de partes de la repartición pública donde trabajaba— lucía una corbata de seda color carmín aquella mañana de sábado. En su rostro desabrido, tras los anteojos sin marco, sus ojillos brillaban con tímidas chispas de entusiasmo.

Elvira, que era nueva en la sección, lo había visto entrar. Pero como ya estaba incorporada al ambiente, la corbata insólita de su compañero de trabajo no escapó a su atención. Además, percibió un alarde poco usual en la forma como Aldea se calara las mangas negras que protegían los codos y puños de su terno azul. Elvira miró a Freddy Osorio por si éste hubiera notado algo, y le dijo al oído:

—Oye, fíjate en el Beto...

Freddy lo observó, y con ese gesto que tantas victorias le había deparado, alzó una espesa ceja negra. No cabía duda. Algo extraordinario sucedía al Beto. Era como si su cuerpo, seco y viejo, a pesar de no tener más que cuarenta y cinco años, contuviera algún tesoro fabuloso. Pero una alteración fugaz en la personalidad del Beto no era tema como para interesar a Freddy Osorio por más de unos cuantos segundos. En cambio, lo era el tono de intimidad con que Elvira se dirigía a él. Se trataba de una confirmación a sus sospechas. Él le gustaba. Freddy meditó acerca de la conveniencia de invitarla al cine esa tarde: Elvira tenía la ventaja de pertenecer a ese tipo de muchacha que no exige mucho gasto. Por otra parte, el orden duro de sus cabellos negros y las redondeces de su cuerpo joven, sobre las que resbalaba la seda de un vestido de verano, prometían, si bien no la más gloriosa de las conquistas, por lo menos una ocasión agradable para mantener en alto su prestigio. Nada tenía que hacer esa tarde. Era preferible invitar a Elvira antes que pasarla jugando a los dados y bebiendo cervezas con un par de amigos en un bar cualquiera, donde de tanto hablar de negocios magníficos y de mujeres seductoras, terminaban por creerse capaces de realizar cuanta aventura se insinuaba. Al ver que el Beto se ponía a numerar solicitudes cinco minutos antes de la hora en que el trabajo debía comenzar, observó:

—Puchas qu'estái contento. ¿Que te sacaste el gordo?

Alberto Aldea sonrió torpemente in responder, y volvió a su trabajo. Hubiera queri responder, pero no estaba listo. Bien sabía que era e primera importancia andarse con cuidado. Debía esperar el momento oportuno y buscar el tono justo. Sólo así alcanzaría la gloria, ahorrándose el oprobio en que se transformaba todo lo suyo, bueno o malo.

Freddy no esperó respuesta a la pregunta que dirigiera al Beto. Se distrajo inmediatamente en otra cosa. Entretanto, Elvira y la señora Martita, jefa de la sección, se habían puesto sus delantales de trabajo y después de retocar rostros y peinados ante espejos minúsculos sacados de sus carteras se sentaron ante sus máquinas de escribir, y la oficina, como todas las mañanas desde hacía muchos, muchos años, comenzó a funcionar en torno a Alberto Aldea.

Era una suerte que por ser sábado, no hubiera que atender público. Así, privado ante los papeles que numeraba, Alberto podía pensar, pensar, pensar, madurando un plan para revelar la magnitud de su proeza a sus compañeros. Por un momento creyó que las risas de Elvira y Freddy eran ocasionadas por él, pero no tardó en comprobar que se trataba de otra cosa. ¿Qué incidentes románticos depararía el fin de semana a esos dos? Más allá, junto al ventanal, la señora Martita reservaba el buen humor de su madurez encorsetada para los pocos momentos de descanso que su sentido del deber le permitía. Sólo de vez en cuando, sacándose los anteojos, bajaba los párpados, pensando, sin duda, en su hijita, cuya educación tantos esfuerzos le costaba. Y quizás también en aquel marido que la abandonara hacía más de ocho años por una mujer de la vida. ¿Qué tesoros de ternura y abnegación traería a la señora Martita el fin de semana junto a su hija?

En la pensión donde Alberto Aldea vivía con su madre, el cuarto de canasta estaba armado para esa noche. Lo integrarían, además de ellos dos, la señora Estévez, dueña de la pensión, y don Jaime, un profesor retirado que usaba infinidad de alfileres prendidos en el reverso de la solapa, con los que solía escarbar los pliegues y orificios más insospechados de su persona. La serial que con su madre seguía en el teatro del barrio los domingos había quedado en un episodio tan interesante, que la anciana no pudo hacer otra cosa durante la semana que comentarlo, y entre tanta lucubración y suposición, no llegó a darle más que una importancia mínima a la victoria de su hijo. Alberto apenas pudo arrancar sus ojos de Elvira y Freddy, que trabajaban juntos charlando continuamente. Sólo ayer éste le había confiado su proyecto de invitar a Elvira para ir a la *boîte* estilo japonés recién inaugurada en un local de lujo. ¿Cómo no pensar, hoy especialmente, que eso era injusto? Freddy era apuesto y joven y poseía un traje de gabardina gris-verdosa, casi nuevo. Pero ¿era suficiente? ¿Había hecho en su vida algo tan importante como lo que él, el Beto, hiciera la tarde anterior? No. Sin embargo, bailaría hasta horas avanzadas esa noche, mientras él se quedaba en casa, jugando canasta con su madre, con la señora Estévez y con don Jaime.

Alberto vio avanzar la mañana sin atreverse a relatar su triunfo. No lograba estarse quieto en la silla pensando en la reacción de Freddy, por ejemplo. En el momento mismo de recibir el galardón, decidió que Freddy sería la primera persona en saber. A pesar de las desagradables bromas del muchacho, Alberto sabía que lo apreciaba. Pero ahora, viéndolo tan irónico y sonriente, los ánimos no le alcanzaron para dirigirse a él con naturalidad.

Al ver que Freddy salía de la oficina, no pudo resistirse, y se escabulló tras él. Freddy lo embromaba sólo cuando había alguien presente. Esta era su ocasión si lograba hablarle a solas en el pasillo. Pero lo vio fumando, en coloquio íntimo con una mujer muy alta y de curvas admirables. Alberto pasó, y volvió a pasar cerca de ellos, aguardando. Cuando se separaron se acercó a Freddy y le dijo:

—Quiubo, Freddy...

—¿Qué te pasa, Betito, hombre? Puchas que hace calor. ¿Te gustó la cabra con que estaba hablando?

—Claro, macanuda... —respondió. Las palabras que usara parecían estorbarle la lengua, quedarle grandes, ya que era un vocabulario al que no estaba habituado.

—¿Qué te pasa hoy que andái tan contento? ¿Andái de conquista? Esa corbata...

—No, hombre, no. Es que..., es que...

Las palabras no salían. Pero debía decírselo. Era como si todo el esfuerzo que hiciera por triunfar hubiera sido con el fin único de contárselo a Freddy. Si no, el triunfo quedaría desvirtuado. El chaleco para dormir, con sus iniciales bordadas en el bolsillo, que su madre dijera que le tejería a modo de premio, no era galardón suficiente. Por otra parte, la anciana comenzaba muchas cosas, pero terminaba pocas: sus dedos estaban reumáticos y en realidad prefería la canasta. Hubo un silencio en que Freddy escudriñó a su compañero de oficina, pálido y más que nunca pequeño y torpe. Alberto vio que si perdía la oportunidad presente el muchacho se iría, lleno de desprecio y para siempre. Se atropelló por decirlo todo de una vez:

—Oye, Freddy, fíjate que ayer salí Campeón Nacional de Pistola de Duelo. En el Polígono. Parece que me van a mandar a la Olimpíada a fin de año, a Europa, como representante...

Por un momento creyó que todo había fallado. Sin duda Freddy diría algo agudo e hiriente. Pero luego divisó un relampagueo en sus ojos, lo que le indicó que estaba a salvo. El rostro del muchacho se abrió en una sonrisa.

—¡Hombre! —tartamudeó, asombrado—. ¡Qué colosal! ¿Es cierto? —Enmudeció palmoteando a Alberto—. Yo ni sabía que tenías esas aficiones. ¿Y es muy difícil? Nunca habíai contado. Te felicito, hombre. ¿Y te pagan el viaje? Vamos a contarles a las chiquillas de la oficina.

Alberto estrechó la mano del muchacho, que le pareció débil entre la suya. Todo recelo se desvaneció. Su compañero le dirigía toda clase de preguntas acerca del torneo y del viaje. ¿Pasaría por París?

Al entrar en la oficina, la señora Martita y Elvira ni alzaron la vista. Por los ventanales abiertos, el Campeón Nacional de Pistola de Duelo vio el sol joven de principios de verano que acariciaba las cimas de los edificios cívicos al otro lado de la plaza.

—¡Chiquillas! —exclamó Freddy—. ¡Feliciten al Beto! ¡Lo van a mandar a la Olimpíada y va a pasar por París!

Y relató a sus compañeras boquiabiertas la proeza del Beto. Las dos mujeres formaron gran alboroto, felicitando al héroe y saliendo a las oficinas contiguas a llamar gente para que también lo celebraran. Éste, sin embargo, logró mantener su calma a pesar de que las lágrimas retenidas quemaban sus ojos fruncidos de emoción. Tuteó a hombres y mujeres por igual, dando y recibiendo palmotazos. Miraba, entretanto, y volvía a mirar, la mañana de sol casi vertical sobre los edificios y la plaza. El día era bello. Pero para él toda belleza terminaría en media hora más, cuando la oficina cerrara y los contempladores de su gloria se dispersaran hacia sus placeres, hacia sus aficiones, de las cuales él quedaría excluido. Al fondo de las calles, entre los edificios, se divisaban retazos de cordillera envuelta en neblina dorada. En su pensión no había ventanas desde las que se vieran los cerros.

Cuando amainó el primer alboroto y los extraños a la oficina de partes se habían retirado, Freddy dijo:

—Esto tenemos que celebrarlo los cuatro, en grande...

A las mujeres les pareció una idea espléndida. La señora Martita era toda exclamaciones aprobatoria
mientras arreglaba su peinado ante los vidrios de la puerta. Tenía cerca de cincuenta años, pero era lo que los empleados cercanos a la jubilación llamaban, guiñando el ojo, «una muchacha interesante». Tácita, pero tangible, circulaba alrededor suyo el aura de ser «una divorciada». Alberto Aldea la conocía desde años atrás. Pero sus relaciones, por lo demás nunca afectuosas, se habían enfriado totalmente desde que un grupo de empleados le enviaron unos versos obscenamente amorosos firmados por él. La señora Martita había llorado mucho, diciendo: «Creen que porque es una sola, tienen derecho a todo». Se aclaró la falsedad de la firma, pero el hielo persistió. Sin embargo, Alberto sentía una especie de deuda con ella, algo que los unía en un pasado común. Estaba encantado por el calor con que lo felicitaba ahora y por el entusiasmo con que acogía la proposición de celebrar su triunfo.

—¿Y qué podemos hacer? —preguntó Elvira.

—Están dando una película regia en ese teatro nuevo —exclamó la señora Martita—. Podíamos ir...

—Ay, no. ¿Esa mexicana con el actor rubio? Es una

que le dio un vaso de vino, exigiéndole que lo bebiera de un solo trago. Gotas de sudor perlaban el cuello de Freddy, a quien ya nada interesaba salvo guiar la máquina que tenía en su poder.

Decidieron que era tarde y que no valía la pena llegar hasta la costa. Tomaron un camino lateral, hicieron alto, y bajándose del auto se instalaron en una vega. Se sentaron bajo un sauce, junto a un estero. La tierra estaba húmeda, y Alberto extendió su chaqueta para que la señora Martita se sentara sobre ella. Todos se despojaron de chaquetas y pañuelos mientras extendían la merienda y destapaban el chuico. Freddy lucía sus bíceps poderosos ante la admiración de las mujeres. Alberto miró sus propios brazos, flacos y cerosos, cubiertos de vello largo y ralo. Bajó las mangas de su camisa sin que nadie lo notara.

Había una sombra calurosa y húmeda bajo el sauce. Zumbaban moscos y matapiojos acorazados de azul, circulando entre las monedas de luz que caían a través de las hojas, temblando sobre el suelo de tallos secos y sobre los rostros asorochados de la señora Martita, de Elvira, de Freddy y de Alberto. La señora Martita se apoyaba contra el tronco rugoso del árbol, entre manchones de teatinas. Extendía el mantel, ordenando la merienda. Alberto se sacó los zapatos y depositó dentro de ellos sus calcetines, doblando cuidadosamente las ligas. Se arremangó los pantalones hasta la rodilla y, sentado al borde del estero, dejaba que el agua resbalara entre los dedos de sus pies y alrededor de sus tobillos. Nadie hablaba. Pero Alberto sabía que la señora Martita apartaría los mejores sandwiches para él, tal como lo hubiera hecho su madre. Algo alejados, Elvira y Freddy estaban tendidos boca arriba, muy cerca el uno del otro. De vez en cuando alguien comenzaba a entonar una canción que los demás coreaban esporádicamente, o se incorporaba para volver a llenar su vaso.

—Sería bueno que el héroe hiciera una demostración —dijo Freddy de pronto—. ¿Trajiste tu pistola?

Las mujeres aplaudieron la idea, pero Alberto negó que la hubiera traído. Era una suerte que la dejara en su abrigo, dentro del auto, al otro lado del potrero. Pero eso nadie lo sabía. Hoy no estaba dispuesto a ponerse a prueba. Si querían creer, creían; si no, no. Se sintió débil. No estaba acostumbrado a tanto sol, movimiento y vino. Vio que el chuico estaba menos que medio, y con terror se preguntó si él lo habría bebido todo. Se acercó a la señora Martita para decirle algunas cosas definitivas. Freddy, que había pasado el brazo alrededor del talle de Elvira, dijo:

—Ya pus, Beto, atiende a la señora Martita, ¿que no ves que se está aburriendo? Y ella que creía que erai tan buen tirador...

—Oiga, Osorio, no sea tan ordinario —respondió ella, incorporándose de golpe—. Hay que ver la confiancita que se toma. Es una la tonta en darles entrada a estos mocosos de porquería. Creen que porque una es divorciada tienen derecho a todo...

Se tapó la cara con el pañuelo lila y comenzó a lloriquear.

Alberto Aldea se puso de pie. Tenía aún el gorro de marinero calado a lo Napoleón e inconscientemente se llevó la mano al pecho. La señora Martita hipaba, llorando.

—¿Cómo te atreves a faltarle el respeto a una señora? —aulló Alberto, tambaleando al acercarse a Freddy, que se ponía de pie.

—Ya, pues, chiquillos, no sean pesados, no peleen —trató de conciliar Elvira a medida que los llantos de la señorita Martita iban en aumento.

—Viejo apolillado, creís que porque te sacaste un premio... —lanzó Freddy cuadrando sus hombros atléticos frente a Alberto. Elvira quiso detenerlo tomándolo por la manga. Los llantos de la señora Martita se interrumpieron al ver que el muchacho volcaba el vino que aún había en el chuico.

—Mire lo que hizo el mal educado borracho —dijo, y continuó llorando.

Al ver que Freddy Osorio se alzaba inmenso ante él, Alberto sólo logró pensar en la pistola que tenía en el auto, a unos quince metros de distancia. De una carrera cruzó el potrero, llegó al auto y sacó la pistola del bolsillo de su abrigo. Freddy, que había salido fuera del sauce seguido por las dos mujeres, aulló:

—Maricón, te arrancái, espérate no más —mientras Elvira y la señora Martita trataban de sujetarlo. Alberto sacó el seguro a la pistola y volvió al potrero.

Viéndolo detenido en medio del trébol, pistola en mano, las mujeres comenzaron a gritar. Freddy quedó helado. Alberto corrió hacia el muchacho y tropezando en una piedra cayó de bruces.

Hubo un disparo, y un silencio...

Alberto estaba tendido en el pasto, gimiendo apenas. Luego se oyeron gritos de las mujeres que pedían a Freddy que fuera en busca de una ambulancia.

—Está muerto...

—No se acerque, mire que puede estar vivo...

—No llore más, pues, señora Martita.

—Por favor, Osorio, no se acerque, mire que lo va a matar. ¿No ve? ¡Está loco!

—Y el pueblo queda tan lejos...

—Ese es mi pañuelo, Martita. Devuélvamelo, por favor.

Poco a poco la figura del Beto se fue incorporando en el trébol. Tenía sangre y tierra en el rostro. Elvira dijo que seguramente estaba agonizando y que debían partir al instante en busca de una ambulancia.

—Que se muera el desgraciado —murmuró Freddy. Pero tembloroso se acercó a Alberto para ayudarlo a sentarse bajo el sauce.

—Gracias. Es un rasmillón no más... —dijo, llevándose la mano a la frente. Le dolía donde había dado con la cara en el suelo. Oyó que las mujeres y Freddy hablaban indignados del susto terrible, expresando el más vivo desprecio por «el estúpido del Beto». Era una gran verdad que jamás había que meterse con borrachos, menos con borrachos que cargaran armas de fuego.

—¿Me hará mal que me enjuague la herida con el agua del estero?—se aventuró a preguntar el Beto—; está sucia...

Nadie respondió.

Las dos mujeres se sentaron aparte. Pequeños escalofríos nerviosos sacudían aún el pecho de la señora Martita. Pero poco a poco se fueron calmando y al rato ya hablaba de cine y de vestidos con Elvira. A poca distancia Freddy se tendió boca arriba, con un pañuelo a cuadros sobre el rostro para que no lo molestaran las moscas que acudían a los restos de la merienda.

Alberto Aldea cabeceaba. Antes de quedarse dormido alcanzó a ver los cerros amarillos y lisos que comenzaban a ondearse de azul. Y las vacas holgazanas que husmeaban junto al cerco de álamos.

Cuando el héroe despertó, la señora Martita y Elvira estaban sentadas en el asiento delantero del auto arropadas con sus abrigos, ya que se había levantado la brisa. Conversaban animadamente, riendo de vez en cuando. Freddy recogía las últimas cosas. Pasó el chuico vacío a Alberto y éste lo puso en el asiento trasero como su único acompañante en el viaje de regreso.

No dirigieron la palabra a Alberto en todo el trayecto, mientras delante los tres charlaban. O más bien charlaban las dos mujeres, ya que toda la atención de Freddy se concentró en la máquina que guiaba.

* * *

Alberto abrió la puerta de su casa y subió la escalera grandiosa y fría que antes fuera de una gran mansión. Arriba se escuchaban los alaridos de los dos niños turnios de la señora Estévez, que, como todas las tardes, jugaban en los muebles destripados del recibo.

—¡Bu! —le dijeron para asustarlo, escondidos detrás de la jardinera con aspidistra.

«Turnios asquerosos...», pensó él y dobló por la galería de vidrio hacia las dos piezas que con su madre ocupaban en el fondo de la casa. El olor a comida fue siempre fuerte en esa parte, pero nunca tan repugnante ni tan pegajoso como esta vez.

Abrió quedamente la puerta de su cuarto y sin encender la luz se lanzó sobre la cama. El cuarto de su madre estaba iluminado. Las hendijas de la puerta que comunicaba interiormente ambas habitaciones eran espadas que herían sus ojos sensibilizados por el día de sol. Tras la puerta sentía moverse, cojeando, siempre cojeando, a su madre, abriendo y cerrando cajones, ordenando, siempre ordenando. Era ocioso tener esperanzas de que no lo hubiera oído llegar y lo dejara dormir tranquilamente hasta el otro día.

—¿Albertito? ¿Llegó, mi hijito?

—Sí, mami —respondió si fuerzas.

Doña Laura apareció en el umbral iluminado y se acercó a su hijo para besarlo.

—¿Cómo te fue? ¿Llegaste cansado? ¿Te voy a prender la luz?

—No, no. Prefiero así. Tengo insolación y me duele la cabeza.

—¿No vas a comer? Hay congrio frito. Tenemos cuarto de canasta para después de comida.

—No, mami. No me siento bien. No voy a comer. Cuando vuelva me puede preparar un poco de té para tomar una aspirina. Consíganse otra persona para la canasta esta noche.

La anciana se marchó. Esto le pasaba a Albertito

por desobedecerle, por salir al sol después del almuerzo sin esperar hacer la digestión. En fin, como el pobre no era muy buena mano, no importaba que el cuarto no quedara integrado por él.

Alberto no tardó en quedarse profundamente dormido. Cuando su madre volvió —había decidido por fin no jugar, ya que el congrio frito era pesado y a sus alturas era mejor cuidarse—, roncaba sonoramente. La anciana entró en silencio al cuarto de su hijo y se llevó el abrigo para sacudirlo.

Entretanto, Alberto se revolvía en la cama, presa de sueños violentos. Estaba persiguiendo por todas las galerías de la pensión a un sauce que llevaba un pañuelo lila amarrado en la copa. Y un Napoleón de gabardina gris-verdosa y bigote negro lo retaba a duelo. Inmediatamente ensartaba a Napoleón en su espada y éste desaparecía. Luego él, Alberto, necesitaba ir al baño. Encontraba allí el sauce con el pañuelo lila, y orinaba en su tronco. El sauce comenzaba a dar alaridos, diciendo que le faltaban el respeto, llamando a la policía. Antes que los gendarmes se apoderaran de él —todos cojeando y con olor a pescado—, Alberto blandía el sable y atravesaba el sauce de un golpe. Éste se desplomaba dando un gritito de deleite. En el retén los gendarmes buscaron por toda su persona el cuerpo del delito y él respondió, riendo a carcajadas: «Lo dejé en el picnic, picnic, picnic, picnic...»

Alberto despertó gritando:

—Mi pistola, mami, mamacita, mi pistola. Perdí mi pistola. No la recogí cuando me caí...

La anciana acudió al instante. Alberto lloraba y lloraba, repitiendo que la pistola se le había caído al tropezar, olvidando recogerla.

Jamás volvería a ser campeón. Era como si le hubieran cortado el brazo derecho. Doña Laura dijo que le prepararía una taza de té caliente y un sedante, y que ella misma, mañana, lo acompañaría a buscar el arma perdida.

—Voy a mi pieza a hacerte el té...   .

—Apague la luz, mami... —gimió Alberto.

—Sí, mi lindo.

Doña Laura prendió el hornillo y colocó la tetera. Del cajón de su velador sacó un sedante que puso en un platillo junto a la taza. Caminó por el cuarto unos instantes con ayuda de su bastón, y sentándose en su cama contempló el abrigo de su hijo, que colgaba en una silla. Luego se puso de pie, se acercó, y de uno de los bolsillos extrajo el arma, pesada, reluciente y peligrosa. A ella no le interesaba que su hijo fuese campeón, sólo le importaba velar por él impidiendo que jugara con objetos tan terribles. Tenía horror a las armas de fuego, no le gustaba saberlas cerca, bajo el mismo techo. Tomó la pistola de la punta y la envolvió en varios papeles. Luego metió el lío en una caja de zapatos vacía que sacara de debajo del ropero, depositando el arma dentro, bien acuñada entre calcetines y medias que ya no servían. Por último envolvió la caja en un papel y la amarró con un cordelito azul. Salió en puntillas. Avanzó por la galería hasta la habitación de don Jaime, le entregó el paquete y le rogó que lo guardara hasta el día siguiente.

La tetera estaba hirviendo cuando doña Laura regresó a su pieza. Preparó el té con parsimonia y sacó el sedante de su sobrecito transparente. ¿Cómo podía llegar hasta el río? ¿Qué autobús debía tomar? No recordaba. Hacía tanto tiempo que debido al reuma que la aquejaba no salía sola más que a la iglesia, a media cuadra de distancia. Se lo preguntaría a don Jaime, que era una persona tan culta y todo lo sabía. Y después de la comunión —no necesitaría confesarse: había robado el arma por el bien de su hijo— iría hasta el río con el paquete.

—Mami, mi pistola... —gimió Alberto, tragando el sedante.

—Tranquilo, mi lindo. No te preocupes. ¿Te apago la luz para que te duermas?

—Bueno, viejita...

—Buenas noches, hijo. Descansa bien.

Lo besó en la mejilla izquierda.

—No se vaya, mami. Acompáñeme hasta que me duerma. Tengo miedo...

La anciana se sentó en el borde de la cama. Luego, al ver que su hijo comenzaba a dormirse, se sacó los zapatos, se tendió junto a él, y arropándose los pies con un chal, ella también dormía a los pocos instantes.

DOS CARTAS

Para John B. Elliott.

ÉSTAS SON LAS últimas cartas que se escribieron dos hombres, Jaime Martínez, un chileno, y John Dutfield, un inglés.

Se conocieron como compañeros en los cursos infantiles de un colegio de Santiago, y continuaron en la misma clase hasta terminar sus humanidades. Pero jamás fueron amigos. No podía haber sido de otro modo, ya que sus aficiones y personalidades se marcaron desde temprano como opuestas. Sin embargo, el chileno solía llevar sandwiches al inglés, porque Dutfield era interno, y como todos los internos de todos los colegios, sufría de un hambre constante. Esto no fue causa para que sus relaciones se hicieran más íntimas. En un torneo de boxeo que se llevara a cabo en el colegio, John Dutfield y Jaime Martínez se vieron obligados a enfrentarse. Los vítores de los compañeros enardecieron por un momento los puños del chileno, de ordinario inseguros, e hizo sangrar la nariz de su contrincante. No obstante, el inglés fue vencedor de la jornada. Esto a nadie sorprendió, ya que Dutfield era deportista por vocación, mientras que Martínez era dado a las conversaciones y a los libros. Después, el chileno siguió llevando sandwiches al inglés.

Una vez rendido el bachillerato, que ambos aprobaron mediocremente, se efectuó una cena de fin de estudios. Aquella noche fluyeron el alcohol y las efusiones, cimentando lealtades viejas mientras nuevas lealtades se iban forjando en la llama de una hombría recientemente descubierta. Dutfield debía partir en breve. Pertenecía a una de esas familias inglesas errantes e incoloras, nómades comerciales, que impulsada por la voz omnipotente de la firma que el padre representara en varios países, cambiaba de sitio de residencia cada tantos años. Debían trasladarse ahora, siguiendo el mandato todopoderoso, a Cape Town, en la Unión Sudafricana. Al final de la comida, agotadas las rememoraciones y los cantos, Dutfield y Martínez apuntaron direcciones, prometiendo escribirse.

Y así lo hicieron de tarde en tarde, por más de diez años. Dutfield se instaló por un tiempo al lado de sus padres en Cape Town. Pero tenía sangre nómade. Cruzó el veldt y la selva, pasó a Rhodesia, solo, en busca de fortuna, y por último echó raíces en Kenya, donde contrajo matrimonio y adquirió tierras. El resto de su vida transcurrió allí, cercano a los ruidos de la selva, cuidando de sus acres de maíz, y contemplando cómo crecían sus hijos junto a los árboles y los nativos, compartiendo ideales y prejuicios de quienes eran como ellos.

El chileno, en cambio, permaneció en su patria. A medida que los años fueron pasando, constató que había quedado solo, que poco a poco se había alejado de todos los que fueron sus amigos de colegio, sin hacerse, entretanto, de nuevos amigos que valieran el nombre. Sin embargo, y no dejaba de turbarlo la ironía del caso, seguía manteniendo correspondencia, muy distanciada, es cierto, con John Dutfield.

Jaime Martínez estudió leyes. Como abogado chileno su vida transcurrió apacible, rodeada de un círculo de seguridades de toda índole. Desde un principio comenzó a distinguirse en su profesión. Vestía casi siempre de oscuro, y llevaba las manos, quizá demasiado expresivas para un hombre de su posición, invariablemente bien cuidadas. Las cartas que con el plantador de Kenya cruzaba una vez al año, a veces dos, contenían recuerdos humorísticos de sus días de colegio, novedades acerca de los cambios exteriores que la vida de ambos hombres iba acumulando con los años, preguntas y respuestas acerca de las modificaciones experimentadas con el tiempo por la ciudad en que ambos se educaran. Nada más. ¿Y para qué más? ¿Cómo iniciar, después de tanto tiempo y a tantas millas de distancia, una intimidad que, por lo demás, jamás había existido?

Ésta es la última carta que John Dutfield, plantador de Kenya, escribió a Jaime Martínez, abogado chileno, más o menos diez años después de haber regresado del colegio en que ambos estudiaran juntos:

«Querido Martínez:

»Aquí me tienes contestando tu carta de meses atrás, aprovechando una enfermedad ligera que me ha tenido en cama unos días. No te había escrito antes, porque, tú sabes, el trabajo de un plantador de Kenya no es cosa fácil, como ha de ser el de un abogado chileno.

»El otro día me sucedió algo curioso. Creo que por eso se me ha ocurrido escribirte. Habíamos salido, mi mujer y yo, a ver los animales de la granja, al atardecer. Cuando llegamos donde estaban los chanchos, vimos un animal peliblanco, que parecía contemplar el crepúsculo, con aire tristón, algo aparte del resto. Cuál no sería mi sorpresa cuando mi mujer me dijo: "Mira, John, ese chancho parece que estuviera inspirado". Figúrate. ¿Te acuerdas del "Chancho inspirado"? Apuesto que no. Era ese profesor recién llegado de Cambridge que tuvimos un semestre, ese rubio gordo, acuérdate, que se lo pasaba leyéndonos odas de no sé quién y admirando los crepúsculos de Chile. Al día siguiente de su llegada, nosotros los internos mojamos las sábanas de su cama, asegurándole que era una costumbre tradicional de bienvenida. Él vio nuestra mentira, pero por congraciarse con nosotros no nos acusó. Duró poco en el colegio. Le entró la melancolía, la nostalgia de su patria al pobre, y no tuvo más remedio que volver a Inglaterra. Tendría, entonces, unos veinticinco años, menos de lo que tú y yo tenemos ahora.

»No comprendo cómo se puede sentir nostalgia por Inglaterra. Claro que yo era muy chico cuando salí, y estuvimos en Jamaica unos años antes de pasar a Chile, así es que no puedo juzgar. Pero cuando me dieron de alta en el ejército —por mi pierna herida en batalla, que sigue igual, con dolores cada tantos meses—, por curiosidad más que por interés se me ocurrió recorrer Inglaterra. Encontré todo aglomerado, feo, sucio, viejo, con un clima insoportable. Me dio claustrofobia y volví a Kenya tan pronto como pude. Pero me parece curioso contarte que a mis padres les sucedió algo parecido que al "Chancho inspirado". Mi papá jubiló hace algunos años en la firma que tanto tiempo representara en Kingston, Valparaíso y Cape Town. Acá tenía una espléndida situación. Los viejos eran respetados por todos, tenían un magnífico círculo de amistades, y una casa encantadora mirando al océano, en uno de los barrios buenos de Cape Town. Pero en vez de quedarse para disfrutar de los agrados de la vida, después de jubilar, se les ocurrió comprar un *cottage* en el pueblecito de Yorkshire, donde nacieron, se conocieron y se casaron. Ahora están viviendo allá, felices, como si nunca hubieran salido. Yo conocí el pueblecito ese, porque cuando mis parientes supieron que me habían dado de alta en el ejército, me invitaron a pasar unos días con ellos. Vieras qué pueblo más feo es. Toda la gente es bastante pobre y mis parientes también. Yo no podría vivir allí, con esa gente aburrida y provinciana, en ese pueblo sucio y viejo, cerca de una mina y rodeado de fábricas hediondas. No llego a comprender cómo los viejos están tan contentos.

»No sé si será por mi enfermedad, pero anoche no más estaba pensando que no sabría dónde irme si llegara el momento de retirarme, como mi padre. Yo era muy niño cuando salí de Europa, no siento vínculos con ella. Kingston está fuera de la cuestión, sólo me acuerdo de una mama negra que tuve, lo demás se ha borrado. En Chile no sabría qué hacer: me sentiría, sin duda, fuera de lugar, ya que todos mis amigos estarán dispersos. Además, mi mujer es de estas tierras, y la idea de América la atemoriza. Quizás Cape Town fuera una solución. Comprarme una casita cerca del mar, hacerme socio de un club donde tenga amigos y donde el whisky no sea caro.

»En fin, tengo apenas treinta años y no ha llegado el momento para pensar en eso seriamente. Creo que en todo caso, como se presenta la situación, terminaré mis días aquí, en esta plantación, en esta casa que yo mismo construí y a la que ahora último hemos hecho importantes agregados. ¡Vieras qué agradable es! Mi mujer se ocupa del jardín y de la huerta. Pero debo confesarte que la fruta no prospera —los árboles están nuevos todavía— porque Pat y John, mis dos chiquillos, se trepan a ellos como nativos y se comen la fruta verde. ¡Vieras qué indigestiones!

»Bueno, me he alargado mucho y nada te he dicho. Si alguna vez se te ocurre hacer un safari por estos lados —te repito mi viejo chiste—, tienes tu casa. Escribe. No dejes pasar el año sin noticias tuyas y de Chile.

JOHN DUTFIELD.»

Esta carta jamás llegó a manos de su destinatario. De alguna manera se extravió en los correos, y la recibió un tal Jaime Martínez, calle Chile, en Santiago de Cuba. El moreno la abrió, leyéndola con extrañeza. Al comprobar que no era para él, la cerró con el propósito de enviarla al abogado chileno que la carta mencionaba. Pero en esos días su mujer estaba por tener el noveno hijo y la misiva se perdió entre mil cosas antes que el moreno recordara hacerlo. Cuando recordó, no la pudo hallar. Y decidió que no valía la pena preocuparse: nada de importancia había en ella. Era una carta que bien podía no haberse escrito.

El hecho es que John Dutfield ya no volvió a escribir a Jaime Martínez. Pasaron los años, y la existencia del plantador de Kenya transcurría apacible en sus tierras. El trabajo y la lucha eran duros, pero había compensaciones. Cada día se marcaba más la línea oscura que partía su frente donde el cucalón la protegía del sol, cada día se desteñían más sus ojos y se enrojecían más sus manos. De vez en cuando, pero muy a lo lejos, le extrañaba no recibir noticias de Chile. Después dejó de extrañarse. Varios años más tarde, John Dutfield, su mujer y sus niños fueron asesinados por los mau-mau, y sus casas y cosechas iluminaron una clara noche africana.

La última carta de Jaime Martínez fue escrita hacia la misma fecha que la de John Dutfield. El abogado chileno acababa de publicar una reseña histórica sobre un antepasado suyo que tuviera actuación fugaz en una de las juntas que afianzaron la independencia de su patria. El libro tuvo un pequeño éxito de *élite:* el lenguaje era justo y la evocación de la época libre de sentimentalismos. Le parecía que en su libro había dado importancia a cuanto tenía dignidad en sus raíces. Pero sólo él sabía, y no con gran claridad, que aquellas raíces lo hacían prisionero sin darle estabilidad. Él no había buscado su profesión y modo de vida, sino que había sido arrastrado hacia ellos, y por lo tanto vivía presa de la insatisfacción y de la zozobra.

Sin saber cómo ni para qué, una noche de invierno en que el frío se agolpaba a su ventana, y después de haber bebido la acostumbrada taza de té caliente, tomó su pluma y escribió la carta siguiente a John Dutfield, de Kenya, a quien no había escrito por cerca de un año y de quien no había tenido noticias por largo tiempo:

«Querido John:

»No sé por qué te estoy escribiendo esta noche. Posiblemente porque hace tiempo que nada sucede. Te debe extrañar el tono melancólico con que inicio esta carta. Pero no te inquietes: no me van a meter a la cárcel por estafador, ni me voy a suicidar, ni estoy enfermo. Al contrario, porque nada ha pasado, estoy como nunca de bien.

»Quizás por eso te escribo. Por si te interesa, te diré que sigo surgiendo en mi profesión, y que me estoy llenando de dinero. Dentro de pocos años, y tengo apenas treinta, seré, sin duda, uno de los grandes abogados de Chile. Pero inmediatamente que aseguro a alguien lo que acabo de contarte, siento la necesidad de tomar un trago de whisky, para no dudar de que en realidad vale la pena que así sea. Sí vale la pena (acabo de empinarme un gran trago). No dudo de que te reirás de mí al leer estas líneas, y no sin razón, tú, con tus grandes problemas exteriores resueltos. Pero, aguarda, no te rías. Precisamente porque eres tan distinto a mí, y porque vives a tantas y tantas millas de distancia, y porque no veo tu risa irónica, es que te estoy escribiendo estas cosas. Pero en realidad no sé qué te estoy contando Quizás nada.

»Claro, nada. Pero nada da tema para mucho. ¿Te acuerdas a veces del colegio? Me imagino que nunca. O si te acuerdas, será como de una especie de gran country club, donde todo era grande, bonito y fácil. Y tienes razón, puesto que no has tenido que seguir luchando, como yo, con las terribles ironías que fue dejando. Yo sí lo recuerdo. Sobre todo ahora, en este último tiempo, lo recuerdo muy a menudo. ¿Recuerdas aquellos últimos años, cuando solíamos ir a esos sitios que todos asegurábamos haber conocido desde hacía largo tiempo, y de aquellas borracheras audaces en víspera de algunos exámenes? ¿Te acuerdas de aquella vez que Duval nos dijera que había invitado a una mujer estupenda para la kermesse anual del colegio, y luego hizo su aparición, muy orondo, del brazo de una prima de chapes? Esa prima de Duval se casó y tiene cuatro hijos.

»No sé por qué tengo de ti una imagen imborrable: te veo encaramado a una muralla mirando si pasaba una de las alumnas del colegio para niñas bien que había en la otra esquina. Una vez, fue en el último año, mis grandes amigos de entonces, Lozano y Benítez, escribieron una carta de amor, por lo demás bastante escandalosa, a una alumna de ese colegio. Olga Merino se llamaba. Una vez que la vimos pasar, dijiste que era la mujer más despampanante que habías visto en tu vida. Era menuda y tenía el pelo liso y claro. Yo estaba muy enamorado de ella, aunque no le había hablado más de dos o tres veces. Pero jamás le dije nada. Y ese amor, como tantos otros amores míos, murió rápidamente. La veo mucho ahora, porque se casó con un colega a quien frecuento. Si la vieras, está tan distinta. Tiene fama de elegancia y de belleza en este rincón del mundo. Pero es otra persona. No conserva nada, nada, de lo que me hizo quererla terriblemente durante un mes, hace más de diez años. No es más que natural, lógico. Pero es también insoportable. Y a todos nos ha pasado lo mismo, ya no nos reconocemos, los únicos que entonces importábamos. ¿Seré yo también, tú crees, un ser tan irreconocible, tan distinto? Olga no tiene importancia en sí, te la nombro sólo porque tú la viste un día. No tiene importancia porque, naturalmente, he querido más muchas veces en mi vida. Y esos amores tampoco me dominaron. Les di vuelta la espalda y no me dominaron. Tampoco me dominaron mis vicios, ni mi deseo de hacer fortuna, ni mis amigos. Nada de lo que he hecho, repentinamente pienso, tiene importancia. Creo que es porque uno olvida. ¡Y yo no he querido olvidar! ¡Jamás he aceptado que un solo átomo de mi vida pasada, las cosas y las personas y los sitios que he amado u odiado, pierdan su importancia y se apaguen! Y todo ha perdido importancia. Lo que demuestra que sólo tengo capacidad para arañar la superficie de las cosas.

»A propósito, recuerdo cuando estabas en la guerra. Me relatabas el asco de aquel mundo que se deshacía. Y yo me felicitaba de estar aquí, en esta jauja, al margen de esa miserable experiencia de la humanidad. Leía los periódicos, me informaba meticulosamente, seguía con interés los tumbos de la batalla. Pero ni eso me conmovió. ¿Por qué? Quizás tú sepas la solución.

»No te rías mucho al leer esta carta. Además, te ruego que no me contestes en el mismo tono. Contéstame como si no hubieras recibido estas líneas de:

JAIME MARTÍNEZ.»

Cuando el autor releyó su carta, constató que sus problemas se habían enfriado notablemente escribiéndola. La encontró incoherente, sentimental, literaria, reveladora de una parte de su ser que, bien mirada, no había tenido mayor importancia en dar forma a su destino. La rompió y, al echarla al canasto, se prometió escribir otra en breve. Recordó también que John Dutfield era hombre de sensibilidades algo romas y no deseó paralogizarlo.

Pasaron los años y el abogado chileno no volvió a escribir al plantador de Kenya. Como si se avergonzara por la carta que había escrito y roto, aplazaba y volvía a aplazar el momento para escribir al África. Jaime Martínez llegó pronto a la cúspide de su profesión y ya no tuvo tiempo para recordar su deuda con Dutfield.

Sólo a veces, en el transcurso de los años, hojeando el periódico en el silencio de su biblioteca o de su club, leía por azar el nombre de Kenya en un artículo. Entonces, durante no más de medio segundo, se paralizaba algo en su interior, y pensaba en ese amigo que ya no era su amigo, que jamás lo había sido y que ya jamás lo sería. Pero era sólo por medio segundo. El té caliente que le acababan de traer, y el problema del cobre expuesto en un artículo contiguo al que nombraba casualmente a Kenya, apresaban su atención por completo. Después de ese medio segundo, pasaban años, dos o tres, o cuatro, sin que volviera a pensar en Dutfield. Ignoraba que hacía largo tiempo que los vientos africanos habían dispersado sus cenizas por los cielos del mundo.

DINAMARQUERO

ESA TARDE, DESPUÉS del trabajo, don Gaspar, el contador, dijo que tenía sed. Yo me dejé convencer fácilmente, porque en el aislamiento de una estancia magallánica cualquier pretexto para romper la monotonía es una bendición, aunque el pretexto mismo haya llegado a ser habitual. Don Gaspar y yo acostumbrábamos ir al Puesto Dinamarquero los sábados y domingos, pero entonces la sed era tan rutinaria, que ni necesitábamos esa excusa para ir. Esos días solía haber treinta o cuarenta caballos atados a la vara del Puesto, y en la penumbra del interior, llena de humo y bullanga y peleas, doña Concepción y la Licha cambiaban en silencio las botellas vacías y las velas gastadas en las mesas. Pero además de los sábados y domingos, resultaba que don Gaspar sentía sed de cuando en cuando en día de trabajo, y a esto sí se le podía atribuir carácter excepcional. En esta ocasión, además de sed, yo alegué mi necesidad de despedirme —debía partir dentro de la semana y para siempre—, y don Gaspar, su deseo de felicitar a la Licha por su próximo matrimonio.

Eran las cinco. Ensillamos y partimos al galope por la huella que conduce a Dinamarquero. Tendríamos luz hasta llegar, porque en verano el crepúsculo no se insinúa hasta cerca de las diez. Reflexioné que, siendo ésta la última vez que hacía el camino, era necesario que mirara todo muy bien, con el fin de recordarlo más tarde, en días y lugares distantes. Pero no había qué mirar. Parecíamos no avanzar, tan monótono era el paisaje, si puede dársele ese nombre a la nada lisa

121

de la pampa, a aquella circunferencia en cuyo centro frío y ventoso permanecíamos a pesar del galope de nuestros caballos. Sólo el cielo cambiaba. Pasaban nubes echando charcas de sombras que flotaban o retrocedían llevadas por el viento, mientras el sol seguía su camino sin prisa por la inmensa comba del cielo.

De pronto una mancha oscura en el horizonte. Divisarla a lo lejos, como si estuviera cayéndose al borde del planeta, y luego agrandarse, nos volvía a colocar dentro del tiempo y de las distancias mensurables. Luego, al verla acusarse como el pequeño cubo de fierro acanalado del Puesto, abrupto en medio de la pampa calva, algo se agitaba dentro de nosotros, contentamiento, paz, porque teníamos la certeza de que allí nos aguardaban por fin tibieza y vino, y gente distinta a aquella con que trabajábamos todos los días. Además, había dos mujeres: doña Concepción, gruesa y sonriente, dueña del Puesto; y su hija, la Licha, flaca como una sombra.

Como era día de semana, no encontramos más de media docena de caballos en la vara. Atamos los nuestros junto a los otros y, mientras miré el tizne rojizo que ceñía el horizonte por el oeste —para calcular así cuánto tiempo nos sería posible permanecer en el Puesto—, me calenté las manos ateridas en el hocico de mi yegua.

Doña Concepción salió a recibirnos dando muestras de gran sorpresa y alegría. Siempre se podía contar con su palabra amable y con su buen humor. Claro, tenía su hija, y tenía su Puesto propio, que buen dinero debía darle: cobraba precios tan exorbitantes por todo, que no era raro pasar años tratando de deshacerse de las deudas contraídas allí. Sin embargo, creo que íbamos a Dinamarquero, más que nada, por estar cerca de ella. Era poco menos que la única mujer de la comarca —la Licha no contaba—, y a pesar de sus años y de su grasa, nos recordaba todo un mundo de agrado. Vestía siempre de negro porque era viuda. Su rostro fofo y encalado solía desordenarse con carcajadas tan violentas, que todo el exceso de carnes blandas tardaba unos minutos en recobrar equilibrio en torno a los ojos espesos de maquillaje, a los labios carnudos y pálidos, a la diminuta nariz. Nos condujo a una mesa junto a la estufa, llamando a la Licha para que nos atendiera. La muchacha lo hizo sin calor ni entusiasmo.

Doña Concepción se mostró desolada al oír que venía a despedirme.

—¡Qué solita voy a quedar! —exclamó sonriendo.

Su mano tuvo un temblor insólito al colocar los vasos en la mesa, y observé que su pelo retinto estaba en desorden, lo que en ella no era habitual. Miré a don Gaspar, por si él hubiera visto lo mismo que yo, pero el pequeño anciano desvió los ojos como si tuviera vergüenza. Al apurar el primer trago produjo ruido en su gaznate nervudo, curtido por el vino y el viento.

—¡Qué solita voy a quedar! —repitió más bajo doña Concepción.

Pensé que también se refería al matrimonio de su hija, quien, según dijo, debía partir a la mañana siguiente para casarse en Punta Arenas. Luego se puso de pie y su masa enorme desapareció por la puerta de la cocina, con paso inseguro.

—Parece que doña Concepción está un poco rara hoy... —aventuré.

Don Gaspar no respondió. Tenía una manera curiosa de beber. Mantenía su pequeño cuerpo muy tieso en la silla, empuñando sus manos velludas y pesadas en el borde de la mesa, sin volver a sacarlas de allí más que para llenar el vaso y llevárselo a la boca. Pero ahora estaba derrumbado en el asiento, sin que sus dedos se decidieran por una posición estable. Después de un rato, masculló:

—Es que la Licha se va, y es muy solo por aquí...

En realidad, había poca gente en el Puesto esa noche. En una mesa, tres hombres silenciosos jugaban al naipe en torno de una vela. En otra, un hombre solo inclinaba su silla hacia atrás hasta topar el muro, bebía un poco, canturreaba apenas, y de vez en cuando miraba el cadáver de luz plana que quedaba en los vidrios, o parecía prestar oído al viento que, después de arrastrarse por la pampa, venía a cortarse, silbando, en los ángulos de la casa.

—Debíamos felicitar al gringo Darling —insinué—. Mire, ahí anda...

Don Gaspar miró para ese lado, encogiéndose de hombros al ver que la larga figura encorvada del escocés rondaba entre las mesas siguiendo a la Licha. Estaba llorosa cuando trajo la botella que pidiéramos. Don Gaspar le preguntó:

—¿Qué te pasa, chiquilla?

—Nada... Otro de esos orzuelos no más —fue su respuesta.

Apenas tenía rostro. Chato y pálido, todo era mezquino en él: los ojos, la nariz, la boca delgada. Pelo no tenía sino unas cuantas hilachas lacias.

En el momento en que la Licha iba a retirarse, don Gaspar la tomó de la muñeca. Quedó helada, mirándolo. Después rompió a llorar. El gringo Darling se acercó rengueando y la tomó de los hombros.

—¡Le contó de puro envidiosa! —exclamó la muchacha—. Nada más que para que no me casara. ¡Pero me voy a casar de todas maneras! Apuesto que hasta usted se habrá acostado con la vieja cochina...

.—Pero, Licha, qué importa —dijo el gringo en su media lengua—, yo sabía todo eso antes que tú nacieras...

La Licha se secó los ojos con la punta del delantal, y, sorbiendo todavía, se fue a servir a otra mesa, seguida a cierta distancia por el gringo.

—Pasa lo que tenía que pasar —murmuró el contador.

—Pero ¿por qué tanto llanto y tanto insulto? Ni que se fueran a morir.

—Es que la Concepción no se conforma. Uno se pone feroz aquí cuando se va a quedar solo.

—Pero ¿qué pasa? Nunca había visto así a la Licha, y menos a doña Concepción. Debían estar contentas de pescarse al gringo, que para más remate va a ser administrador. No entiendo...

—¡Claro que no entiende! Yo, que he estado tantos años aquí, no entiendo, y va a entender usted... A la Concepción, por ejemplo, no la conozco. ¡Y la conocí dos años después que llegué del Norte a esta estancia, hace más de treinta!

»Era hombre hecho y derecho cuando llegué de Chiloé a tentar suerte, a trabajar un par de años para después volverme a mi tierra con los bolsillos repletos. Pero, como tantos otros, me fui quedando y quedando, y aquí estoy todavía.

»Muchísimo me costó ambientarme al principio, aceptar tanta soledad, tanto frío, tanto trabajo para ganar unos cuantos pesos que no había en qué gastar... y que tampoco lograban juntarse unos con otros. Además, y esto era lo más grave, un contador no tiene derecho a alternar de igual a igual con el dueño ni el administrador, como tampoco puede hacerlo con los ovejeros. Estaba desesperado, quería volverme al Norte, quería estar en cualquier parte que no fuera aquí.

»Pero un buen domingo me dejé arrastrar hasta este Puesto para tomar unos tragos y olvidar las penas. En ese tiempo el dueño era un dinamarquero, hombre más o menos de mi edad y condición, que conocía todo el mundo porque había sido marino. Vivía solo. Como yo, era duro para la conversa y para el trago, y conversando y conversando, y tomando y tomando, nos hicimos muy amigos. Desde entonces mi vida cambió porque pasaba aquí todo mi tiempo libre. Además, abrí cuenta, y creo que una de las razones por que jamás he vuelto al Norte es que nunca he podido terminar de pagarla.

»Daba risa vernos juntos, al Dinamarquero y a mí, porque yo, como buen chilote, he sido siempre mampatito y negrazo. ¡Pero había que ver el pedazo de hombre que era él! Inmenso y rubio, parado en la pampa pelada, en la tarde echaba una sombra que no se terminaba nunca. Tenía una fuerza descomunal —que demostró de una vez por todas recién llegado reventándole la cara a un borracho— y una voz que parecía que iba a hacer estallar esta cajita de lata. Todos le tenían miedo, especialmente cuando se enojaba, lo que sucedía rara vez. Entonces daba órdenes en un idioma raro que nadie comprendía, y como nadie lo comprendía, no se sabía qué hacer y el gringo se enojaba más y más hasta que terminaba sacando pistola. Pero era un dinamarquero risueño y sin malicia como un chiquillo, y así, a pesar de respetarlo, todos lo querían. Servía bien. Nunca faltaba nada en el Puesto. Además sabía hacer unos guisos raros muy sabrosos. Como era un poco agarrado, nunca iba al pueblo, que entonces quedaba a un día de viaje por lo malo de los caminos.

»Resulta que una tarde de verano, cuando nuestra amistad databa de dos años, lo noté algo raro. Era domingo, así es que había muchísima gente en el Puesto. Pero él no estaba atendiendo: les había pagado a tres chiquillos para que hicieran el trabajo que de costumbre hacía él solo. Estaba peinado, y se había puesto cuello duro y corbata. Caminaba de una pieza a otra, inquieto, sin hacer nada, mirando, hablando un momento con uno, después con otro. Ya avanzada la tarde miró su reloj de bolsillo y me propuso que fuéramos a sentarnos en la vara para fumar un rato. Todo esto era insólito, lo mismo que el orden extremado en los cuartuchos del Puesto, que era como un hotelito, pero nada pregunté. En cambio hablé de otras cosas mientras el gringo silencioso mantenía la mirada azul alerta sobre la pampa.

»—Ahí vienen... —exclamó por fin, con el rostro iluminado.

»—¿Quiénes? —pregunté.

»Señaló un punto en el horizonte. Poco a poco, al acercarse, resultó ser un automóvil. Insistí en mi pregunta, pero no quiso satisfacerla hasta que el vehículo hizo alto frente al Puesto y bajaron cinco mujeres.

»En aquella época en que el pueblo quedaba tan retirado solían viajar por las estancias, alojándose en los puestos independientes, estas caravanas de prostitutas. La mayor parte de las mujeres eran feas y viejas, pero para nosotros, que muchas veces no teníamos hembra por años, todo en ellas era maravilloso. Teníamos sed y aquí estaba el oasis: aunque barroso, era por lo menos agua de verdad. Solían quedarse dos o tres días, en que pasaban «ocupadas» las veinticuatro horas. Luego se volvían al pueblo con todo nuestro dinero, pero bastante más ajadas de lo que llegaran.

»Al oír voces de mujeres, todos los ovejeros que estaban en el Puesto salieron a recibirlas. Ellas no se inmutaron al ver los treinta o cuarenta hombres hediondos de vino, sin afeitar, dispuestos a apoderarse de sus cuerpos instantáneamente. De las que venían, cuatro eran la mercancía corriente en este tipo de negocio. Sin embargo, la quinta era una morena grande y todavía fresca, de rostro amplio y caderas movibles y abultadas. Nos pareció el colmo de lo deseable.

»El Dinamarquero las instaló en los cuartuchos, encerrándose inmediatamente con la morena, mientras los ovejeros «ocupaban» a las demás. Éstas se pasaban veinte minutos o media hora con un hombre, y después entraba otro de los que aguardaban. Todos queríamos a la morena, pero el gringo se pasó cuatro horas

127

encerrado con ella. Impacientes, golpeábamos la puerta de su cuarto gritándole que se apurara, que ya estaba bueno, que era un gringo sinvergüenza. Por fin salió muy serio y peinado, cerrando la pieza con llave. Dijo que sólo él iba a ocupar a la morena. Los que esperábamos turno para ella nos enfurecimos, pero nos tuvimos que conformar con las otras.

»Los días que las mujeres pasaron en el Puesto hubo un desorden espantoso. Como la noticia había cundido como fuego por la comarca, la gente llegaba y llegaba a esperar turno. Los ovejeros discutían acerca de ellas, cuál era la mejor, dando datos y recomendaciones a los que todavía no las habían visto. A veces era preciso sacar a la fuerza a un hombre de la pieza de la mujer con que estaba. Había cincuenta, cien ovejeros en el Puesto, riñendo por entrar primero, embriagándose, robando vino, quebrando ventanas y vasos. Pero una gran serenidad sonriente había caído sobre el Dinamarquero. Nada de lo que pasaba alrededor suyo lo tocaba. Unos cuantos gritos restablecían un orden momentáneo.

»Siguió sucediendo lo mismo por espacio de dos días, sin que el Dinamarquero abriera la puerta del cuarto de la morena y sin que ella saliera. De vez en cuando le llevaba comida. Si veía que los ánimos estaban más o menos apacibles, se pasaba una hora encerrado, para volver más tarde, muy peinado, a atender a sus parroquianos. No sé en qué momento dormía, porque la agitación continuaba día y noche. Había olor a mujer en el Puesto. El resto de la gente que, como yo, se negaba a irse a pesar de que con eso hacía peligrar el trabajo, dormía en cualquier parte, a cualquiera hora, debajo de las mesas, en la cocina, junto a los caballos o simplemente a campo raso.

»Según iban pasando los días yo me iba embriagando más y más, hasta que la tercera noche estuve completamente embrutecido. Los demás parecían haber olvidado la existencia de la morena, pero yo no. Estaba con una rabia salvaje contra el Dinamarquero, pero a cada insulto mío no hacía otra cosa que sonreírse para luego ir a atender a alguien que lo llamaba.

»Convencí a uno de los ovejeros que estaba tan borracho como yo de que la situación era insostenible. Salimos del Puesto, llevamos un caballo hasta la ventana alta del cuarto donde la morena se alojaba, y en la oscuridad logré trepar hasta el alféizar. Con los puños rompí los vidrios, dejándome caer sobre la cama donde la mujer dormitaba. Mi amigo se dejó caer tras de mí. Volcamos la lámpara de parafina, que hizo arder las sábanas y las ropas, mientras pugnábamos por poseer a la mujer, que aullaba. Afuera se armaron gran batahola y griterío. El Dinamarquero acudió rápidamente, seguido de varios ovejeros que inundaron el cuarto iluminado sólo por el incendio de la cama donde todavía luchábamos con la pobre mujer. Trajeron baldes de agua para apagar las llamas, con los que también lograron separarnos a nosotros, como se separa a perros que riñen.

»Como estaba borracho, me deben de haber botado a dormir en algún rincón por ahí. Al otro día desperté temprano. Los ovejeros habían partido o se disponían a hacerlo. Las mujeres estaban ya en el automóvil. El Dinamarquero se emperifolló, hizo su maleta, cerró el Puesto y partió en el automóvil con las mujeres.

»Regresó a la semana siguiente acompañado de la morena. Se habían casado en Punta Arenas. Ella, doña Concepción como se la llamó desde entonces, se hizo cargo del Puesto junto a su marido. Al principio apostábamos cuál sería el primero en acostarse con ella, pero una amenaza suya de llamar a su marido bastaba para echar por tierra cualquiera pretensión.

»Yo estaba enamorado, enamorado. La acosaba todo el tiempo, sin recato, pero era como si no me viera. Me peleaba todos los días con el puestero, que ya me había amenazado con no dejarme entrar y con cobrarme judicialmente el año de consumo que le debía.

»Una noche encontré a la Concepción sola al lado afuera del Puesto. Me acerqué dispuesto a tomarla por la fuerza y allí mismo, pero me rechazó.

»—Para qué te haces la santa cuando eres una puta... —le dije.

»Me gritó que si la tocaba llamaría a su marido para que me deshiciera a patadas. Humillado volví la espalda para regresar al Puesto. Pero en la oscuridad su voz me detuvo:

»—Gaspar, no sea así conmigo...

»Era la noche más grande que he visto. Sus ojos pesados de rimmel brillaban fijos en la oscuridad. En ese momento, algo de la verdad de todas nuestras vidas vino a romper en mi conciencia, y se quebró algo no sé qué, dentro de mí.

»Corrí hasta el Puesto y entré vociferando:

»Dinamarquero, Dinamarquero, ven a tomarte un trago conmigo, gringo asqueroso...

»Debe de haber sido cómico ver el abrazo que le di, él tan enorme, yo tan chico. En todo caso creo que comprendió algo de lo que se trataba, porque nunca lo vi sonreír como esa vez. Le juro que nunca, en toda mi vida, he sentido un lazo más estrecho con un ser humano como el que sentí esa noche con el Dinamarquero.

»Poco a poco se fue olvidando en la comarca el origen de la Concepción. Nunca fue tan agradable el Puesto como entonces. Siempre limpio, jamás faltaba algo bueno para comer, ni camas ordenadas donde pasar la noche si la borrachera y la nieve nos impedían regresar. El gringo ya no tomaba tanto como antes porque su mujer le decía:

»—El olor a borracho en mi pieza me trae malos recuerdos...

»Y ante su amenaza de no dejarlo entrar, se abstenía.

»La Concepción fue un modelo de mujer, y para mí una verdadera amiga. Años después me casé. Mi señora, que era muy seria y católica, hizo gran amistad con la puestera. Yo nunca le conté cómo llegó aquí la esposa del Dinamarquero, lo que ésta me agradece hasta hoy, porque como mi mujer era educada y de buena familia, su amistad era un gran orgullo para la Concepción. A los cinco años nació la Licha y a los diez murió el gringo, qué sé yo de qué peste.

Nos quedamos un rato largo sin hablar. Todo el silencio de la pampa parecía haberse trasladado al interior del Puesto. Los tres hombres seguían jugando al naipe y el que bebía solo se había dormido en su rincón. Sólo la Licha iba y venía entre las mesas retirando una botella, limpiando una mancha de barro en el suelo, trayendo platos de sopa de coliflor. Luego doña Concepción se acercó a nosotros tambaleándose un poco. Don Gaspar la ayudó a sentarse.

—Tan solita que voy a quedarme... —suspiró.

No respondimos.

—Se va usted —dijo, mirándome con los mismos ojos brillantes, pesados de rimmel, que viera don Gaspar aquella noche—, y la Licha se me va mañana a Punta Arenas a casarse con el gringo Darling...

—¿No decían que andaba con otros amores? —pregunté por hacer conversación.

—¡Ah! Eso se acabó. A esta chiquilla no sé lo que le pasa, no le interesa el amor. Es rara. Lo que quiere es irse de aquí, nada más. El gringo se va de administrador de los Suárez, a una estancia chica, al lado de Punta Arenas. Dicen que tiene unas casas preciosas...

Bebió un sorbo y nos preguntó:

—Ustedes conocen al gringo Darling, ¿no?

—Poco —respondí.

—Es ese flacuchento que andaba aquí hace un rato,

ese que no se ríe ni cuando está borracho. Lo único que le gusta es llevarse pescando por ahí en los esteros. Hacía tiempo que estaba viniendo, pero como es tan feo y tan viejo, cómo iba a creer yo que le andaba haciendo la corte a la chiquilla. Pero estos gringos son muy sapos. ¡Qué sabe una lo que piensan mientras se lo llevan horas y horas solos, pescando!

Bebió otro sorbo. Don Gaspar hizo un gesto para impedírselo, pero ella le cortó el movimiento.

—No niego que sea bueno que se casen —continuó—. El gringo tiene plata y la Licha llegará a ser señora de administrador, que es lo que quiere. Pero ¿sabe, Gaspar? Me da asco ese gringo. Esas manos flacas, frías todo el tiempo, ese rengueo y rengueo. Ella también me da asco. Usted me va a creer tonta, pero hubiera preferido que se casara con ese loco de Marín cuando andaba detrás de ella, con lo borracho y pendenciero que era. Pero ella, la tonta, no quiso nada con él y después el huaso se fue para el Norte. ¿Qué será de él ahora? Tan animado que era. ¿Se acuerda de la voz que tenía? ¡Señor, si parecía trueno! Llegaba a dar susto aquí, en el estómago, como la voz del pobre Dinamarquero, que en paz descanse...

Siguió hablando mucho rato, quejándose de su hija, del gringo, haciendo recuerdos, hasta que su voz se fue haciendo borrosa y sus palabras más y más incoherentes. Después cruzó los brazos en la mesa y se quedó dormida con la cara entre ellos.

El gringo Darling se acercó. Apoyando apenas una mano en la cabeza de doña Concepción, dijo muy despacio, como si temiera despertarla:

—Pobre, está curada... Voy a llamar a la Licha.

La Licha despertó a su madre y dijo al gringo que la llevara a la pieza, que ella iría dentro de un momento. Mientras limpiaba la mesa, dijo sin levantar la vista:

—Me voy a casar de todas maneras, para que vea, y

para que se quede sola, nada más...

—Pero si el gringo sabía —exclamó don Gaspar con voz desalentada.

Ella levantó los ojos irritados y, clavando al anciano con ellos, dijo:

—¡Qué va a entender usted! ¿No ve que las cosas ahora no pueden ser nunca lo mismo?

Era hora de partir. Deseamos felicidades a la Licha, que no pareció conmoverse. Montamos y no nos dimos vuelta para despedirnos de la muchacha, que nos acompañó hasta la puerta.

Era una noche muy abierta. El viento azotaba, buscando en la nada de la pampa algo en que enredarse mientras barría el cielo estrellado. Al poco rato desapareció el bulto, y después las luces, del Puesto Dinamarquero. Como el viento era fuerte y había hielo, preferimos no galopar. Marchamos largas horas en silencio, sabiendo que no llegaríamos a la estancia hasta que el día clareara.

En un sitio cualquiera del camino oí a don Gaspar que se decía en la oscuridad:

«Si nunca la había visto borracha...»

Era como si todo, hasta lo más digno y lo más bello, se hubiera terminado para siempre.

EL CHARLESTÓN

A VECES PIENSO que la vida sería harto triste si uno no tuviera amigos con quienes divertirse y tomar juntos unos buenos tragos de vino de vez en cuando.

Pero en la vida suceden cosas muy raras, que nadie puede comprender. Hace poco tiempo pasé un par de semanas sin querer juntarme con Jaime ni con Memo, que son mis amigos, y sin que ellos quisieran juntarse conmigo ni entre ellos. No sé por qué. Son cosas que no tienen explicación. Pasé esos días muy amargado. Ni siquiera tenía ganas de poner la radio para escuchar el campeonato sudamericano de fútbol, y cuando en la pieza del lado mis hermanos menores armaban una gritadera cada vez que se marcaba un tanto, a mí no me daba ni frío ni calor, nada más que porque no estaba con Memo y con Jaime y no podíamos celebrar con unos buenos vasos de vino tinto.

Pasamos trece días sin vernos, casi dos semanas. Lo curioso es que no peleamos ni discutimos, ni nos pusimos de acuerdo para no vernos. No teníamos ganas de estar juntos, nada más. Y parecía cosa de brujos, porque como vivimos en la misma cuadra, siempre nos estamos encontrando aunque no nos busquemos, pero durante esos días fue como si la tierra nos hubiera tragado. Con tocar el timbre en la casa de cualquiera de los otros hubiera bastado para encontrarnos y deshacer ese silencio que nos separaba. Pero eso es lo más raro de todo: a pesar de que teníamos ganas de estar juntos —yo pensaba en mis amigos todo el tiempo, hasta en el trabajo—, no nos buscamos, porque era como si tuviéramos miedo... o repugnancia.

Bueno, como dije, Jaime, Memo y yo somos muy amigos. Nos conocemos desde chicos porque siempre hemos vivido en la misma cuadra. Pero yo conozco a muchas personas desde chico y no por eso somos amigos, por lo menos no como soy amigo de Jaime y Memo. Porque estoy convencido de que la amistad es algo más serio, más, ¿cómo dijera yo...?, más espiritual que pararse a hablar en la calle con algún conocido. Por ejemplo, creo que es necesario tener las mismas aficiones. Como el fútbol, en el caso de nosotros tres. Yo no sé si alguien ha pensado en lo bueno que es el fútbol para hacer amigos —uno va a los partidos acompañado, compra las revistas en que salen los jugadores, discute y tiene tema para muchas semanas—. En realidad, llena la vida. A veces, cuando conozco a algún tipo al que no le interesan las partidas, que no conoce a los jugadores o no sabe cómo van los equipos, bueno, se me ocurre que está medio muerto o algo así. Es como un marciano, un tipo distinto que no habla el mismo idioma y no se entusiasma con las mismas cosas y bueno, si alguien es capaz de no entusiasmarse con una partida de fútbol, es capaz de no entusiasmarse ni siquiera con una mujer desnuda, digo yo.

A propósito de mujeres, diré que Memo no piensa en otra cosa, quizá porque tiene tan buena suerte. Claro que no se puede negar que es un tipo bien parecido, delgado, blanco, con el pelo negro bien engominado, siempre anda elegante, porque tiene un hermano que es cortador en una sastrería de lujo, y Memo le firma letras. Además, creo que su profesión tiene algo que ver con su éxito: es vendedor de los productos de belleza «Ondina», champúes, colonias, jabones perfumados, cremas y todos esos menjurjes con que las mujeres se aliñan. Eso las atrae. Él es el que nos arrastra a Jaime y a mí a los bailes, de esos que dan en las escuelas y en los clubes deportivos, con guirnaldas de luces de colores y las chiquillas que van con la mamá o una tía o un hermano. Pero a Jaime y a mí no nos gustan esos bailes y vamos más que nada por acompañar a Memo. ¿Cómo nos van a gustar? No niego que se puede hacer amistad con chiquillas harto simpáticas..., pero ¿y?, ¿y? ¿Qué más? Nada. Mucho ruido y pocas nueces. Para la amistad están los amigos hombres, digo yo. Y para lo demás, Jaime y yo preferimos ir a los callejones de vez en cuando. Es más fácil. Uno llega, pide unas poncheras, se arregla con una de las mujeres... y, al grano, nada de cuentos. Después, uno queda de lo más descansado. Por último, creo que hasta sale más barato, porque para conseguirse una chiquilla decente se necesitan tantos convites a ver películas, a tomar algo en la tarde, a pasear el día domingo, a un baile el sábado, que uno se arruina sin darse cuenta. No es que ninguno de los tres andemos mal de plata. No somos ricos —cada uno vive con su familia y tiene que dar para la casa—, pero no nos podemos quejar, todos tenemos trabajo bueno y seguro. Como dije, Memo es vendedor de productos de belleza, y aunque el sector que a él le toca es el peor de todos, cree que lo van a cambiar a uno mejor. Jaime es empleado del Ministerio de Obras Públicas, y todos saben que puestos como ése son los mejores porque tienen muchas regalías y, aunque el sueldo no es nada del otro mundo, hay un buen futuro. Yo soy el que siempre ando peor de plata, porque como hace poco que regresé del Pedagógico, todavía no tengo horario completo en los dos colegios donde enseño. Pero a pesar de ser el que siempre ando con menos plata, Jaime y Memo me respetan porque al fin y al cabo tengo más instrucción que ellos.

Jaime es el menos fachoso de los tres y a veces se me ocurre que le importa más de lo que parece. Es chiquitito y bien negro, con el pelo bien calzado en la frente y un bigote que, aunque no es muy abundante, se lo cuida más que la niña de sus ojos. Es igual a sus hermanos, que son nueve. Como tiene tanta admira-

139

ción por Memo, se engomina y se acicala igual que él,
y con la poca ropa que tiene anda siempre tan arre-
glado que llega a dar risa verlo muy tieso, con la
cabeza en alto y con la mano en el bolsillo. Yo soy
rubio y un poco gordo, porque soy nieto de yugos-
lavos por parte de mi madre, y tengo la misma edad
que Memo y Jaime, veintitrés años.

Pero lo que a los tres más nos une es la afición al
vino. No, no vayan a creer que somos borrachos o viciosos, los viciosos toman solos y no son alegres. Nosotros no sabemos si nos gusta conversar para tomar
vino, o tomar vino para conversar. Pero desde que
teníamos quince años, cuando andábamos con los bolsillos pelados y sin tener ni para ir a galería a ver una
película, economizábamos para comprar un litrito y
tomarlo escondidos por ahí. Después comenzamos a ir
a los bares y a todas esas partes, siempre los tres
juntos.

Por mucho que se diga lo contrario, no hay nada
que se pueda comparar con el vino. En primer lugar,
no hace mal para la salud como los tragos fuertes.
A nosotros no nos gusta el vino tanto por la soltura y
felicidad que da, cuando uno se siente como si se hubiera sacado el millón y como si alguna artista de
biógrafo estuviera enamorada de uno, sino porque...,
cómo decirlo..., bueno, porque uno hace toda la vida
alrededor del vino. Todo lo que vale la pena en el
mundo, la risa y los amigos y las mujeres y comer
cosas buenas y el fútbol, es mejor todavía si está bien
coloradito con vino tinto. En realidad, con Jaime y
Memo, casi más que de mujeres y de fútbol, hablamos
del vino, de las leseras que uno hace cuando toma
demasiado y de lo bien que lo pasa. En cada borrachera hay algo divertido de que uno se puede acordar
después, y cada vez que las comenta, uno se vuelve a
reír, y nunca se repiten demasiadas veces:

«—...pero no eran mejores que esos litritos que

tomamos cuando fuimos a esa quinta de diversiones que queda en el camino..., ¿para dónde es donde queda?

»—¿Tú dices esa vez que fuimos para el Dieciocho?

»—No, para el Dieciocho fuimos en un grupo grande, en el camión de Chinchulín. Yo te digo esa vez en el verano cuando fuimos en micro los tres solos. Éste empezó temprano y con el calor y el estómago vacío, el vino se le fue a la cabeza, y se quiso montar a la hija del concesionario...

—»No me acuerdo —dice Jaime, haciéndose el inocente—. ¿Cómo era?

»—Una jovencita, harto fea, y sudada que estaba, peor. Pero ya no sabías ni cómo te llamabas, y la convidaste para los yuyos. Resultó que el hermano, que era carabinero en el retén de al lado, llegó a almorzar. ¡Nosotros estábamos más asustados, porque llegó preguntando por la hermana! Así que en la mesa, con el hermano carabinero, nosotros métele que te mete cañazos de vino para taparte..., y cuando volvieron los dos estaban con la ropa sucia, llena de pasto, pero por suerte nosotros ya teníamos bien mareado al hermano carabinero y no se dio cuenta de nada...»

Nos reímos un buen rato acordándonos de todo, y de cómo, después, tratamos de hacer perro muerto, pero no nos resultó porque la hija del concesionario estaba picada con el revolcón y se dio cuenta de las intenciones que teníamos. Más tarde otro se acordaba:

«—Pero la vez que he visto peor al Memo fue cuando nos quisimos robar a la Lucy de la casa de la Haydée. Cierto que llegamos harto puestones, fue para tu cumpleaños, Memo, y tu tía te había mandado de regalo una damajuana de chicha de Curtiduría, dulcecita, y la tomamos de una sentada... Y después de comida nos fuimos a celebrar a la casa de Haydée, que no nos quería dejar entrar porque estaba llena de clientes, pero nosotros, ni cortos ni perezosos, nos subimos por una ventana y cuando la Lucy nos vio...»

141

Y así seguimos, hasta que no damos más.

Sí, así es la cosa. Sus cañas de tinto en la mesa del bar, su sandwich de lomo caliente para no tomar con el estómago vacío, sus buenos cigarrillos, los amigos dispuestos a pasar un rato agradable... y vamos habla que habla, toma que toma, y no se sienten pasar las horas hasta que son las dos, las tres, las cuatro de la mañana.

Como digo, no sé cómo fui capaz de pasar esas dos semanas sin probar ni un trago y cómo resistí sin juntarme con Jaime y con Memo. Era como si tuviera miedo de verlos, como si el vino se me fuera a poner con gusto a guano en la boca o se me fuera a pegar en la garganta. Pero lo más curioso de todo es que en esos días yo me acordaba todo el tiempo de un tipo que vimos esa última noche que salimos juntos, y cada vez que me acordaba de él, me daba una especie de miedo, o de asco, no sé cómo explicar...

Muchas veces los tres salimos juntos después de comida para ir a ver alguna película. Como esa noche los tres andábamos con plata, elegimos una película recién estrenada, en el centro, que tenía algo muy especial, porque en vez de ser una sola la artista principal eran tres las preciosuras: Lauren Bacall, Marilyn Monroe y Jane Russell. Y las tres vestidas con unas hojitas de parra por aquí y otras hojitas por allá, y unos cuantos flecos para emborrachar la perdiz, bailaban ese baile de locos que se llama charlestón. Bueno, el hecho es que después de la función los tres caminamos Alameda abajo hacia la casa, caleteando de bar en bar, conversando y conversando, porque a nosotros nunca nos falta tema. Esa noche hablamos de la película que acabábamos de ver, repartiéndonos a las artistas, una para cada uno. Después de mucho discutir, por fin nos pusimos de acuerdo: Memo, al que le gusta hacerse el aristocrático y dice que las viejitas son mejores porque son más cariñosas, eligió a la Lau-

ren Bacall. Yo, como soy tirado a rubio, me quedé
con la Marilyn Monroe; y Jaime, que siempre ha preferido la cantidad a la calidad, quizá porque es tan
chico, escogió a la Jane Russell. Quedamos muy contentos, porque, aunque nos costó bastante ponernos
de acuerdo, no nos hicimos mala sangre, como a veces
nos pasa en cuestión de mujeres.

Y a cada rato Memo decía:

—¡Puchas! ¡Qué daría yo para que la Lauren me
enseñara a bailar el charlestón!

Entramos en un bar, tomamos una vuelta de tinto,
salimos, caminamos unas cuadras y después entramos
en otro bar, hasta que caleteando y caleteando, al llegar a la altura de Avenida España, aunque nadie hubiera podido decir que estábamos borrachos, era mejor no hablar del grado de alcoholización a que habíamos llegado. En todo caso, era una de esas borracheras suavecitas, tranquilas, de día de semana.

El tonto de Memo tenía pegada la melodía del charlestón. La tarareaba entre frase y frase que decía, pero
como tiene pésimo oído, era poco lo que podía cantar,
y menos bailar, aunque lo intentaba. Nosotros, Jaime
y yo, comenzábamos a tener sueño porque ya era tarde, pero dejamos que Memo, que estaba como embrujado con el famoso charlestón, nos hiciera entrar al
último bar de la noche.

—Después —dijo abriendo la puerta para que pasá-
ramos— yo los convido en taxi.

Ésto nos convenció y entramos con paso resuelto.
Era un boliche igual a cientos de boliches que hay en
todos los barrios. Angosto, largo hacia el fondo, a un
costado el mesón con la máquina de café express y los
grifos para la cerveza blanca y la cerveza negra. Unas
diez mesas, sillas pintadas verde con sus asientos de
totora deshechos por debajo, y en el medio del negocio, un tocadiscos lleno de luces y de vidrios de colores, de esos a los que hay que echarles fichas y apre-

tarles un botón para que toquen.

Como ya era bastante tarde, no quedaban más que dos o tres parroquianos. Nos sentamos y pedimos una vuelta de vino de la casa. El mozo, que parecía que se iba a caer de dolor a los pies, hizo el pedido al dueño, que después de entregarle unas fichas para el tocadiscos a un gordo que estaba parado junto al mesón, nos sirvió tres vasos de vino bien colorado, de ese que se conoce de lejos que es áspero como lija.

El gordo se fue a sentar a una mesa que estaba casi pegada al tocadiscos. Era uno de esos gordos asorochados, con su cara de contento unida al cuerpo por un rollo de grasa y nada más. Estaba bastante borracho, y a pesar de que era invierno y nosotros preferimos no sacarnos los abrigos por el frío que hacía en el local, él estaba sudando, y aunque se había abierto el cuello de la camisa, resoplaba como si le costara respirar. Me fijé que, borroneadas por la carne de la cara, sus facciones eran finitas, la nariz, la boca, las cejas bien dibujadas, demostrando que había nacido para flaco, pero que a costa de pasarlo bien en la vida, a costa de comer y tomar y reírse, se había transformado en esta pelota de grasa, adquiriendo además esa sonrisa que ya no podía abandonar.

De pronto nos pareció que el gordo se derrumbaba encima de la mesa, pero nos dimos cuenta de que se había inclinado para alargar el brazo y meter una ficha en la ranura del tocadiscos. Tenía una pila de fichas al lado de su botella, y nosotros nos miramos contentos porque nos gusta la música, sobre todo si es gratis. Dispuestos a escuchar, pedimos otra vuelta del tinto de la casa, que estaba áspero, pero especial para quitar el frío. El gordo se sirvió un vaso y antes que comenzara la música se lo echó al cuerpo. Luego se sirvió otro vaso, y como la mano le temblaba, lo hizo rebasar. Limpió el vino derramado con la palma de la mano, se limpió una mano con otra y después se limpió las dos en el pantalón. Quedó hecho una porquería. ¡Estaba borracho de veras el gordito!

Cayó el disco, raspó la aguja y sonaron las primeras notas.

—¡Charlestón! —exclamó Memo al instante, electrizado al reconocer la melodía, y miró al gordito como felicitándolo por la elección tan acertada.

Los tres lo miramos, y se nos cortó la respiración con el asombro.

Sentado en su silla de totora, con los ojitos brillosos, como fijos en un punto que parecía flotar delante de su nariz, el gordito bamboleaba de lado a lado su cuerpo enorme, siguiendo el ritmo del baile, y diciendo mientras lo hacía:

«—¡Bailando el charles-tón, charles-tón, charles-tón!»

Nosotros nos miramos y movimos las sillas para ver el espectáculo de frente. Esto pareció darle más ánimo, porque era un verdadero terremoto sentado en la pobre silla de totora, agitando todo el cuerpo, y también la cara congestionada con los ojos semicerrados, y las manos, que eran chicas, con los dedos cortos y puntudos como las manos de los santos de yeso.

«—Bailando el charles-tón, charles-tón, charles-tón...»

Era tanto el entusiasmo del gordito que nosotros comenzamos a llevarle el compás con los pies y palmoteando. El local entero parecía estar en movimiento, y las botellas alineadas en repisas detrás del mesón, y los vasos recién lavados, tintineaban al vibrar con la fuerza del gordo, que se movía como un poseído.

«—Charles-tón, charles-tón, charles-tón...» —cantamos también nosotros.

Las mesas, las sillas, la luz fluorescente que parpadeaba, todo parecía seguir al gordo loco en su baile sentado. Tenía la cara como un tomate de colorada, y la transpiración le hacía brillar la frente y el cogote.

145

La música terminó. Sacando un pañuelo del bolsillo, se enjugó rápidamente la cara, como si no estuviera dispuesto a perder el tiempo, y después de echarse otro vaso de vino bien lleno al gaznate, nos dijo con voz entrecortada por el cansancio:

—¿Les gustó el charlestón? ¡Ésta sí que es música! Cuando yo era flaco la bailaba hay que ver de bien..., patada para allá..., patada para acá..., un, dos, tres..., ta, ta, ta, tah, tah, tah...

Se inclinó hacia el tocadiscos, echó otra ficha, y el charlestón comenzó de nuevo. Los demás parroquianos, que no eran más que dos, se acercaron a la mesa del gordo, cada cual con su vaso en la mano, y palmoteando le llevaban el compás. No parecían estar alegres, sino que, como eso era lo único que estaba pasando en el momento, había que verlo y tomar parte en ello a pesar del frío y del sueño. El mozo bajó la cortina metálica de la puerta, y junto con el dueño, que abandonó sus cuentas en la caja, también se unieron al grupo en torno al gordo, que moviéndose ahora con velocidad acelerada, bailaba con las manos, con todo el cuerpo, con los pies, con la cara. Mientras lo hacía indicó al mozo que le cambiara la botella vacía por una llena. El mozo le obedeció, sirviéndole un vaso, que el gordo se empinó mientras se zarandeaba, derramando la mitad.

¡Había un olor a vino!

Memo se levantó y acercándose al gordo le dijo:

—Oiga, caballero, ¿por qué no me enseña el charlestón, que tengo tantas ganas de aprender a bailarlo?

Sin detener su ritmo desenfrenado, el gordito movió la cabeza diciendo que no. Cuando el disco concluyó, mientras ponía otra ficha en la ranura, el gordo dijo, después de empinar otro vaso entero:

—No..., me tienen prohibido bailar porque me hace mal...

Sin embargo, cuando la música volvió a comenzar

—el charlestón de nuevo—, el gordo, como enviciado, no pudo resistir la tentación. Presa de un impulso más poderoso que su voluntad, se levantó acezando, y con los ojos medio cerrados, como si estuviera en trance, enlazó a Memo con su brazo pesado para enseñarle a bailar. Memo se dejó, pero el gordito lo soltó después de un par de pasos, y solo comenzó a bailar el charlestón entre las sillas y las mesas, que nosotros retiramos para hacerle más espacio. Era tan liviano, bailaba con tanta gracia, con tanta maestría, siguiendo todos los recovecos del compás, que nos quedamos boquiabiertos. Parecía un milagro que esos pies tan chiquititos que se cruzaban, zapateaban, volvían a cruzarse y a descruzarse con tanta agilidad, pudieran sostener la masa enorme de ese cuerpo en movimiento. Todos, incluso el dueño y el mozo, palmoteábamos para entusiasmarlo más, contagiándonos también con su ritmo. Hacia el final del disco el gordo no parecía hacer caso de la música ni del compás, y como un instrumento descompuesto que se independiza de todas las leyes, comenzó a bailar en forma desenfrenada, vertiginosa, agitándose y moviéndose como un loco descontrolado. El disco cesó.

En ese momento mismo, el gordo se desplomó en el suelo.

—¡Está hecho un saco de vino! —exclamó Jaime, pero lo dijo suavemente, como si tuviera miedo.

La cosa no era para la risa.

En efecto, el gordito había caído como un saco. Pero nos dimos cuenta inmediatamente de que no estaba tumbado ahí, entre las patas verdes de las sillas y las mesas, como uno de los tantos borrachos que uno ha visto caerse. El gordito estaba enfermo, enfermo muy grave. Se quejaba mucho y se revolcaba. De repente vomitó un líquido oscuro, vino o sangre, no sé, porque no quise mirar, y después pareció debilitarse, quedándose más tranquilo, pero más muerto. Trata-

147

ban de reanimarlo mientras él se quejaba y se quejaba como un niño, pero me di cuenta de que algo se había roto dentro de ese cuerpo inmenso, dejándolo inconsciente, inconsciente no como un borracho, sino como un cadáver.

Bueno. Me saltaré los detalles desagradables.

Llegó la ambulancia, el médico movió la cabeza, no dijo nada y se lo llevaron. Debe de haber estado pesado porque a los enfermeros les costó mucho ponerlo en la camilla y sacarlo. Nunca más he sabido de él, no sé si se moriría o no, pero puede ser que se haya muerto porque era horrible oír sus quejidos tendido ahí en el suelo del bar, viéndolo revolcarse, con la cara grande y redonda desfigurada por el dolor.

Cerraron el local y nosotros tres nos fuimos caminando, sin decir una palabra. Me acordé de que Memo había dicho que nos iba a convidar en taxi y al ver que no cumplía su palabra me dio una rabia tremenda contra él por mentiroso y por poco cumplidor. Hacía mucho frío y un poco de viento, y eso me dio más rabia. Tuve ganas de gritarle unas cuantas verdades ahí mismo y seguir caminando solo, pero me callé porque me dio pena, como miedo, seguir sin que nadie me acompañara por esa calle donde ya no había más que los perros hambrientos buscando piltrafas en los tarros basureros volcados. Yo miraba a cada rato hacia atrás porque me parecía oír el ruido de un tranvía rezagado que podríamos tomar para llegar más rápido a la casa, pero el ruido era lejos, en alguna calle distante. El idiota de Jaime estaba con hipo y eso me puso más nervioso. Cuando llegamos a la cuadra donde vivimos, ni siquiera nos miramos para despedirnos. Quizás ellos también me odiaban en ese momento.

El recuerdo del gordito me quedó bailando adentro de la cabeza durante todos esos días en que no me junté con Jaime y con Memo. Pasar frente a un bar me daba asco, como si el vino, todo el vino del mundo, tuviera el mismo olor repugnante que llenaba el bar esa noche cuando los enfermeros vestidos de blanco como ángeles se llevaron al pobre gordito después que estuvo tan alegre. Pero a pesar de acordarme de mis amigos todo el tiempo, echándolos de menos y sintiéndome sin vida por no estar con ellos, no quise buscarlos porque se me ocurría, vaya uno a saber por qué, que fueron ellos los que tuvieron la culpa de todo lo que pasó esa noche. Y todo el miedo que yo sentía al pensar en el gordito —porque sentía miedo, no tengo por qué negarlo— iba a ser mucho peor si volvía a juntarme con ellos, porque juntos íbamos a comenzar a tomar vino de nuevo, y yo no quería.

Cada tarde que pasaba sin que nos viéramos, parecía alejar más y más no sé qué peligro, pero también alejaba todo lo que hacía que valiera la pena estar vivo. Por fin, dos o tres tardes, yo salí alrededor de las ocho para comprarle un pequén a la viejita que se estaciona con su brasero en la esquina. Pero era para hacerme el tonto y ver si me encontraba con Jaime o Memo. Hasta que por último, una tarde, nos encontramos. Hacía trece días desde la última vez, yo llevaba la cuenta. Compramos pequenes, los comimos parados en la esquina, y como si nos hubiéramos visto el día antes, nos pusimos de acuerdo para ir a ver una película esa noche.

Cuando salió la función ninguno de los tres tenía ganas de hablar. Yo sé lo que nos pasaba. Era que estar juntos y ver una película sin ir después a tomar unos vasos de vino significaba que algo en nuestra amistad se había echado a perder. En ese silencio, tal como la noche aquella, el miedo que nos separaba podía transformarse en odio, deshaciendo nuestra amistad para siempre.

Camino a la casa, pasamos frente a un bar, pero no dijimos nada, ni nos miramos. Yo iba con las manos muy apretadas en los bolsillos del abrigo, y en

Memo y en Jaime adiviné igual tensión. Seguimos caminando en silencio, pasamos frente a otro bar, y nada, como si no existiera. Antes de llegar a la cuadra donde los tres vivimos, hay otro bar más, el último. Yo sabía que si no pasaba algo que nos detuviera, que nos obligara a entrar, de esa noche en adelante los tres íbamos a comenzar a vernos cada vez menos, hasta quizás ya ni siquiera saludarnos en la calle. No podía ser. El bar quedaba a unos pasos más adelante. Yo tenía que detenerme y hacerlos entrar.

Pero al llegar a la puerta del bar los tres nos detuvimos al mismo tiempo. Miré a Jaime y a Memo, y me di cuenta de que ellos también habían pensado lo que pensé yo. Y cuando los tres, parados ahí, largamos la risa al mismo tiempo, supimos que el peligro estaba vencido. Jaime dijo:

—¿Matemos el chuncho, cabros?

Abrimos la puerta y entramos.

—¿De qué tienen sed? —pregunté yo, haciéndome el tonto.

—¡De qué va a ser! —dijo Memo riéndose.

Creo que hicimos bien. Somos demasiado jóvenes para cuidarnos tanto. Después, cuando seamos viejos y la presión nos suba, como al gordito que bailaba el charlestón, entonces será el momento de cuidarnos. Ahora no.

Y pedimos tres botellas de vino tinto, del mejor, del más caro.

LA PUERTA CERRADA

ADELA DE RENGIFO se quejaba frecuentemente de que a ella le habían tocado las peores calamidades de la vida: enviudar a los veinticinco años, ser pobre y verse obligada a trabajar para mantenerse con un poco de dignidad, tener un hijito enfermizo, es decir, no enfermizo precisamente, sino más bien enclenque, de esos niños que duermen el doble que los niños normales.

En realidad, desde que nació, Sebastián dormía muchísimo. Cerraba los ojos en cuanto su cabeza caía sobre la almohada bordada con tanto esmero por su madre y ya, dentro de un segundo, estaba durmiendo como un ángel del cielo.

—Es tan bueno y tan tranquilo el pobrecito —decía Adela a sus compañeras de oficina—. Ni siquiera llora ni despierta de noche, como casi todos los niños.

Adela y Sebastián vivían en dos cuartos que no eran malos, a pesar de que las ventanas se abrían sobre un patio interior muy estrecho, en el segundo piso de una pensión un poco húmeda y bastante oscura. Cuando Adela partía a la oficina, en la mañana, la señora Mechita, dueña de la pensión, quedaba encargada de cuidar a Sebastián. Pero como el niño era tan tranquilo, casi no había necesidad de preocuparse de él porque jamás molestaba con el bullicio y el recotín con que generalmente hacen la vida insoportable los niños de cinco años. En cuanto la señora Mechita iniciaba los quehaceres domésticos matutinos, Sebastián se deslizaba hasta su propia habitación para tenderse en la cama y dormir a pierna suelta. La señora

Mechita entraba a verlo, porque le daba «un no sé qué» que un niño de su edad prefiriera dormir a entretenerse con cosas más..., bueno, más normales. Hasta que una tarde, decidiendo llamar la atención de Adela sobre esta peculiaridad de su hijo, la abordó como haciéndose la desentendida, y sin levantar la vista de la labor de crochet en que siempre tenía atareados sus dedos pecosos, le dijo:

—¡Qué bueno para dormir está el niño, Adelita, por Dios! ¿No andará enfermo?

Adela respondió muy tiesa:

—¿Y qué tiene de particular que duerma si se le antoja?

—Bueno, era por decirle no más... —replicó la señora Mechita. Al alejarse endureció su quijada de mastín, reflexionando que las viudas jóvenes son demasiado nerviosas y que en el futuro se guardará de acoger a otra en su casa.

Como la observación de la señora Mechita subrayaba sus propias inquietudes, Adela no pudo dejar de tomarla en cuenta. Era indudable que Sebastián dormía demasiado. No es que pasara el día soñoliento y amodorrado, sino que, de pronto, porque sí, parecía estimar que resultaría agradable dormir un rato, y así lo hacía, como quien se entrega a un pasatiempo entretenidísimo, tendido en su pequeña cama con barrotes de bronce o sentado en cualquier silla. Intranquila, su madre a veces solía mirarlo dormir. Esto apaciguaba sus temores, porque era seguro que nada malo podía ocurrirle a un ser que dormía con ese rostro de embeleso, como si detrás de sus párpados transcurrieran escenas de una existencia encantada.

Pero por mucho que tratara de no agitarse, Adela no podía dejar de darse cuenta de que Sebastián era un niño distinto. ¿Cómo no sentirse incómoda? Indiferente y solitario, parecía no tener ninguna relación con lo que ocurría alrededor suyo, ni con las personas, ni con las cosas, ni con el frío, ni con el calor, ni con la lluvia insistente, que en invierno salpicaba en el polvo acumulado en los vidrios de la claraboya del vestíbulo. Parecía, como la luna, que sólo la mitad de Sebastián se mostrara al mundo. Daba un poco de miedo. Los demás pensionistas eran amables con él, más que nada para agradar a Adela, que al fin y al cabo era toda una señora a pesar de haber tenido tan mala suerte en la vida. Pero ella no se engañaba: sabía que nadie encontraba simpático a Sebastián. Y la pena le trizaba el alma aunque era imposible no ver que tenían un poco de razón, porque era demasiado extraño que un niño de cinco años durmiera tanto y no le gustara hacer nada más. No es que se «quedara» dormido de sueño o de fatiga, sino que, eligiendo el momento, se «ponía» a dormir, como los niños corrientes se «ponen» a jugar a las bolitas o se «ponen» a cantar. No le interesaban los amigos de su edad. Se aburría con libros, revistas y películas. No le gustaba jugar. Lo único que parecía desear era abandonarlo todo para ir a tenderse a su cama y «ponerse» a dormir.

Un día Adela le preguntó:

—¿Con qué sueñas, hijo?

—¿Sueño?

—Sí. ¿No ves visiones cuando duermes, como figuras o cuentos?

Sebastián acarició las manos de su madre al responder:

—No..., parece que no. No me acuerdo...

Adela no pudo dejar de exasperarse con esta respuesta.

—¿Entonces para qué duermes tanto si no sacas nada? —le preguntó con aspereza.

—Es que me gusta, mamá...

Al oír esto, Adela se enojó de veras. Ella se veía obligada a trabajar y a sacrificarse para mantenerlo. Ella, joven y bien parecida aún, por respeto a su hijo desdeñaba las proposiciones de los hombres que en la oficina intentaban cortejarla. Por él..., por él..., por él, mil renunciamientos, mil dolores, mientras él se daba el gusto de pasar el día durmiendo. Y dormía porque le gustaba dormir, nada más. Lamentó que Sebastián se acostumbrara desde chico a hacer las cosas simplemente porque le gustaban; era una actitud peligrosa, casi inmoral. Al principio, debía confesarlo, Adela creyó intuir oscuramente alguna función misteriosa en el dormir de su hijo, como si esos sueños contuvieran un tesoro, algo que, aunque ni él ni ella lo comprendieran, en el futuro podía llegar a revelarse como útil o muy importante. Esta vaga esperanza la había hecho callar con algo de temor. ¡Pero si se trataba de una afición era una indecencia! ¡Ella también tenía sus gustos y hubiera querido poder dárselos!

—Bueno, mamá —dijo Sebastián, sobrecogido por el malhumor de su madre—. Entonces, si quieres, no duermo más que de noche...

El corazón de Adela se detuvo repentinamente, como a punto de caer en un pozo. Enmudeció y, después de un instante, pudo preguntar con voz muy lenta y muy baja:

—¿Entonces es algo que haces cuando quieres, porque sí? ¿Puedes controlarte?

—Sí, mamá, duermo cuando quiero dormir...

Y al ver a su hijo de pie frente a ella, tan solo, tan raro, entregado a eso que ni él ni ella eran capaces de comprender, mirándola con sus pobres ojos azules tan serios, sintió que el amor la colmaba, y no pudo dejar de abrazarlo y besarlo y de apretarlo mucho contra su cuerpo.

—No, no, mi niño —le decía—. No, duerme todo lo que quieras.

Meditó amargamente que Sebastián era la viva imagen de su padre, buen mozo, sí, pero tal vez no demasiado inteligente. Por lo menos no tan inteligente como

Carlos Zauze, el jefe de su sección en la oficina, que no la dejaba en paz con invitaciones y requiebros, que, aunque respetuosos, eran tentadoramente insistentes. Porque nadie que tuviera algo..., algo de valor adentro de la cabeza podía gozar con una cosa tan descolorida, tan insustancial como dormir a deshoras. En fin, al año siguiente, cuando entrara al colegio, iba a ser fácil medir las capacidades mentales de su hijo.

En el colegio, Sebastián fue, si no un alumno brillante, por lo menos un muchacho muy cumplidor de su deber. Dócil y tranquilo, a todos daba satisfacciones, pero nunca satisfacciones que lo pusieran en evidencia. Además, las daba impersonalmente, como para que la gente lo dejara en paz, y así no rozarse con sus compañeros y profesores. Nunca salía con amigos en los días de fiesta. Por la tarde, después de clases, cuando los niños, polvorientos y cansados, se detienen a comprar dulces y a hacer pequeñas barrabasadas antes de separarse, Sebastián se iba directamente a su casa, tomaba el té, terminaba sus tareas, y así, ganado el derecho de hacer su voluntad, se acostaba a dormir como quien no está dispuesto a malgastar ni un segundo. Los sábados y domingos hacía lo mismo, dormía de sol a sol, consciente de que su conducta y calificaciones impedirían que Adela le dijera nada al respecto.

No sin sobresalto, Adela a veces iba a la habitación de su hijo para verlo dormir. Allí la sacudía su viejo temor, temor y algo más grave, más inquietante aún: respeto. Porque en ese dormir adivinaba algo que la eludía, algo demasiado grande o demasiado sutil para dejarse apresar por la red un poco rígida y limitada de su imaginación. Lo más turbador era que Sebastián siempre sonreía durante el sueño. No era la sonrisa común y apaciguadora de un niño que sueña con casas y automóviles y lujos, y que se ve protegido por una madre bella y por un padre poderoso. No. Era muy distinto. Era como si el espíritu se le escapara del cuerpo para alojarse en un mundo maravilloso oculto detrás de sus párpados. Todo él entero parecía guardado allí, dentro de su sueño, sin dejar nada afuera para confortar a su madre, que lo observaba solitaria. Había... una intensidad salvaje que daba la impresión de que el soñar de Sebastián era algo completo en sí, poderosamente cerrado, que se bastaba a sí mismo sin necesidad para nada de la gente ni de las cosas del mundo. A ella, claro, tampoco la necesitaba para nada, era una sombra que se podía excluir con gran facilidad de cualquier riqueza. Verlo dormir era para Adela intuir cruelmente, confusamente, todo lo que ella jamás había sido y que jamás podría ser ni comprender. Y cuando Sebastián llegó a cumplir quince, deiciséis años, era como si hubiera dejado tan, tan atrás a su pobre madre, que apenas la divisara, como punto insignificante un segundo antes de disolverse al final del camino.

A esta altura, Adela, que entraba en la cuarentena, no pudo seguir resistiéndose a las atenciones de Carlos Zauze, que la cortejaba desde hacía tantos, tantos años. Era su última ocasión y tenía que aprovecharla, porque no podía seguir marchitándose en un frío cuarto de la pensión de la señora Mechita. Salió a comer y a pasear con su admirador, fueron juntos a bailes y a los cines, y durante un tiempo Adela se sintió arrebatada por esta vida, por este entusiasmo nuevo. A los dos meses Zauze le pidió que se casara con él. Ella consintió feliz, e inmediatamente fueron amantes. Mientras su hijo soñaba vagas improbabilidades en el cuarto vecino, los sueños de Adela se poblaron con la sensación de un bigote negro acariciante y por el calor de unas piernas viriles junto a las suyas; ya no estaba sola, ya no estaba eliminada de la vida por la misteriosa indiferencia de su hijo. Pero, poco a poco, una vez realizado, el amor de Carlos Zauze se fue debilitando. Se habló cada vez menos de matrimonio.

Hubo muchas lágrimas. Luego, quizá debido a las lágrimas, se habló cada vez menos de amor, hasta que por último ya no se veían casi nunca. Fue claro que las intenciones del jefe comenzaron a dirigirse a otro lado, hacia la secretaria de la Sección Obras, dos pisos más abajo, una rubia bastante joven, pero demasiado llamativa, según le informaron sus compañeras de trabajo.

Le costó mucho consolarse, pero nadie pudo decir que perdió su dignidad. Lo malo era que ya le había dicho a Sebastián que iba a casarse, que le daría un nuevo padre, y ahora se veía en el incómodo trance de comunicarle que la vida se había encargado de destruirle también esta ilusión.

—¿No me dices nada? —le preguntó Adela, cuando se dio cuenta de que sus confidencias no conmovían a su hijo—. Deja de manosear esa alcuza, vas a mancharte la ropa con aceite. ¿Crees que no me cuesta plata comprarte ropa?

Hizo un puchero y, sonándose la nariz, agregó:

—Lo que me pasa no te importa nada.

—Sí, mamá —respondió Sebastián—. ¿Cómo se le ocurre que no?

Adela lloriqueaba diciendo:

—No, no. Yo soy menos que nada para ti. Eres un egoísta, y yo ya estoy cansada de tener que trabajar y estar sola. Cómo estaré de vieja que ayer me mandé a hacer un par de anteojos porque el oculista me dijo que tengo presbicia...

Al decir esto comenzó a sollozar.

—Mamá, por favor, no llore...; tome, suénese. Lo de su trabajo ya lo hemos hablado: termino este año y me salgo del colegio para buscar un buen empleo. Quiero ponerme a ganar plata para ayudarla. Además, ya voy a cumplir diecisiete años y quiero darme mis gustos...

Adela suspendió repentinamente su llanto, y mirándolo seca de rabia, exclamó:

—¡Pero si a ti lo único que te gusta es dormir como un tonto!

Al oír esto, Sebastián clavó a su madre con la mirada, y, sin embargo, era como si no la viera. A ella se le detuvo el corazón, porque en esa mirada vio el retrato de todo lo incomprensible e inasible en la vida de su hijo, y de nuevo se deshizo en sollozos. Sin embargo, entre lágrimas y lamentaciones, logró preguntarle por primera vez —si no le preguntaba ahora ya no le podría preguntar y era incapaz de seguir viviendo rodeada de tanta aridez, de tanta soledad— qué significaba su dormir.

—¿Cómo le voy a explicar si ni yo mismo lo entiendo? —dijo él serenamente, mientras Adela, ya más tranquila, movió la pantalla de la lámpara de modo que la luz rosada bañara el rostro de su hijo, dejando el suyo en la penumbra—. Es como... como si hubiera nacido con este don de dormir tanto y cuando quiero. Y quizá por esa facilidad que tengo, es lo único que me gusta hacer. Es como si todo lo demás fuera sombras que carecieran de importancia. Y, sin embargo, nunca he comprendido claramente lo que me pasa. Para mí toda la felicidad posible está en dormir, eso que parece tan pobre, tan absurdo, pero para lo cual nací y es lo único que me importa. Tengo la sensación de que sueño y soy feliz, que sueño con algo verdadero y mágico, con un mundo de luz que lo aclarará todo, no sólo para mí, sino que a través de mí para toda la gente. Pero al despertar siento como si una puerta se cerrara sobre lo soñado, clausurándolo, impidiéndome recordar lo que el sueño contenía, y esa puerta no me permite traer a esta vida, a esta realidad que habitan los demás, la fecilidad del mundo soñado. Yo necesito abrir esa puerta. Y por eso necesito dormir mucho, mucho, hasta derribarla, hasta recordar la felicidad que contiene mi sueño. Quizás algún día...

—Pero, hijo, estás loco, eso sólo lo logran los que se mueren...

—No, mamá, morir no. Los muertos no sueñan. Para soñar hay que estar vivo, así es que tengo que seguir viviendo. No he entregado toda mi vida a dormir, pero a veces siento que debo hacerlo aunque no sepa qué voy a encontrar detrás de esa puerta. Quizás descubra que haber dejado de vivir como los demás fue una equivocación, que tal vez no valía la pena saber lo que ocultaba la puerta. Pero no importa. El hecho de seguir un destino que yo siento auténtico me justifica y le da una razón a mi vida. Pienso en las vidas de los demás y les tengo lástima porque carecen de ese centro que yo tengo, porque no conocen el fervor que a mí me anima. Y si lo que hay detrás de esa puerta es lo que yo creo..., si hay luz, si hay eso que permitirá comprender, y al comprender, explicar...

Al año siguiente Sebastián se empleó y su madre dejó de trabajar. Adela había envejecido mucho. Era como si ver a Sebastián la cansara terriblemente, como si pensar en él la exprimiera, dejándola seca. Consideraba que el destino había sido duro con ella, exigiéndole mucho y dándole muy poco en cambio. Se consolaba jugando al naipe con la señora Mechita, y hablando por teléfono de vez en cuando con sus antiguas compañeras de trabajo para que le contaran lo que sucedía en la oficina. Con su pequeña jubilación y con el sueldo de Sebastián les bastaba para ir tirando, y seguían habitando los mismos cuartos de la pensión, con macetas de helecho colocadas en el centro de inmaculadas carpetas tejidas a crochet, y con olor a viejas cortinas de felpa apolillada.

En la oficina, Sebastián hablaba poco con sus compañeros. Sentía que anudar una amistad, iniciar una relación que no fuera puramente formal, era traicionar su vocación para el sueño. Había crecido mu-

cho y estaba bastante flaco, hecho de una materia
como cerosa, muy frágil y transparente, distinta a la
carne. Esto le daba un aspecto tan interesante, que las
muchachas de la oficina, mientras se empolvaban la
nariz o refaccionaban imaginarios desperfectos en sus
peinados, lo miraban riéndose, lamentando que fuera
tan joven. Tenía unos ojos azules muy raros, muy bonitos.

—Ojos de santo... —comentaba una de las muchachas.

—O de artista... —opinaba otra.

—No, ojos de gran amante —corregía la más atre-
vida.

Pero cuando Sebastián respondía a alguna de sus
preguntas o a una broma, su modo de hacerlo era tan
tranquilamente afable, tan sereno y limpio, que se
sentían derrotadas, como si no viera en ellas más que
cascarones vacíos. Dejaron de embromarlo, y Sebastián consiguió asumir un papel como de sombra eficiente, señalándoles con su silencio que él era de otra
especie, que no tenía tiempo ni inclinación para tomar
parte en esa clase de juegos.

El jefe de la sección, Aquiles Marambio, no más
de diez años mayor que Sebastián, lo tomó bajo su
protección. Como Marambio hablaba tanto y al hacerlo sólo le interesaba escucharse, no se daba cuenta de
que Sebastián lo oía sin prestar atención. Solía sen-
tarlo a su lado para darle grandes peroratas.

—Tienes un futuro estupendo aquí en esta organización, Rengifo, porque yo, que conozco bien a la
gente, me doy cuenta de que eres un tipo serio y capaz.
Adivina cuántas máquinas de calcular nos mandaron
de Norteamérica, unas máquinas modernas, preciosas.
Lo único que les falta es hablar. ¿No sabes? ¡Ochenta! ¿Te imaginas lo que podemos hacer con ochenta
máquinas de calcular? Bueno, yo diría que se puede
hacer casi todo..., absolutamente todo. ¿No te parece?

162

Aquiles Marambio era pequeño y delgaducho, con bigotitos negros muy finos y anteojos con borde de oro. A pesar de sus acinturados trajes oscuros, se le comenzaba a notar una pequeña panza, y la papada ya desdibujaba su mentón agudo, tembloroso como el de un niño a punto de llorar, cuando alguien contravenía sus órdenes o cometía alguna falta de pulcritud o de puntualidad.

En una ocasión, después de mucha insistencia de parte de su jefe, Sebastián aceptó una invitación para comer en su casa. Al sentarse a la mesa, Aquiles Marambio desplegó su servilleta, introduciendo dos de sus puntas en los bolsillos de su chaleco, y se puso a esperar la cena, ponderándole a Sebastián los encantos de tener casa propia, mujer propia, radio y máquina lavadora propias. Su mujer, mientras tanto, sin despegar los labios, sostenía una sonrisa aprobatoria, como quien sostiene un arma defensiva, porque era claro que su corazón no estaba en la mesa sino en la cocina, rogando al cielo que la cocinera nueva no dejara quemarse el asado.

Después de muchos prolegómenos, Aquiles carraspeó y dijo:

—Mira, Rengifo, hay algo de lo que tenía intención de hablarte.

—¿Sí?

—Sí —respondió Marambio, y después de un silencio, continuó—: Mira, se trata de lo siguiente. En la oficina todos te aprecian porque eres eficiente y caballeroso. Pero tú sabes que en una oficina lo principal es la unión, que todos seamos como una familia. Sin eso no hay eficiencia posible. La gente te tiene simpatía, pero no puedo ocultarte que están comenzando a perdértela. Te encuentran raro..., orgulloso. Te convidan a fiestas y paseos, te proponen ir a tomar una copa o a ver una película, y tú no has aceptado ni una sola vez. ¿Puedes decirme por qué?

—Es que salgo muy poco.

—¿Pero por qué? A tu edad debes salir y divertirte. Puedes estar jugándote tu futuro en una cosa tan insignificante. ¿Por qué sales tan poco?

—Mi madre es sola. Tengo que acompañarla.

—Esa no es razón. Seguro que si ella se diera cuenta de la importancia que tiene tu convivencia con tus compañeros de trabajo, no le importaría quedarse sola un par de noches al mes. Porque no es más. Te digo estas cosas como amigo y como hombre de experiencia...

—Bueno, es que además soy muy flojo. Me gusta mucho dormir. En realidad prefiero dormir a pasear...

—No me vengas a decir que te pasas los sábados y los domingos durmiendo...

—Aunque parezca raro, sí. Soy muy dormilón...

Aquiles, cuyo rostro sufrió un repentino reventón de risa, se llevó la servilleta a los labios para proteger su boca llena de comida. Exclamó:

—¿Oíste, Sara? ¿Oíste lo que dice este tonto? El gran entretenimiento de Rengifo es dormir. Es la primera vez que oigo una cosa así. No sale ni le gustan las copas ni anda con mujeres. Es casi un vicio...

—Sí, claro... —asintió Sebastián, acompañando con una risita las carcajadas de su jefe.

—He oído hablar de muchos vicios, de mujeriegos y de cocainómanos y de borrachos y qué sé yo, pero te aseguro que es la primera vez que oigo decir que alguien tiene el vicio de dormir. ¡Eres loco, hombre! Si duermes todo el tiempo, la vida se te va a pasar de largo, y la vida hay que vivirla. ¡Mírame a mí!

Sebastián se sintió tan incómodo y culpable que no tuvo más remedio que dar por lo menos una explicación vaga:

—Es que se me ocurre que durmiendo, en lo que sueño voy a descubrir algo importante, algo más importante que..., bueno, que vivir...

—¿Y si te demoras toda la vida en averiguarlo y te mueres antes? Significa que perdiste toda tu vida durmiendo y que no sacaste nada.

—Se me ocurre que es tan maravilloso lo que voy a encontrar que estoy dispuesto a arriesgarme.

—¿Arriesgarte a despertar muerto una buena mañana y que te tiren así, sin uso, a la basura? Ah, no, no, eso jamás. Es una locura. La vida hay que vivirla.

La connversación comenzó a flaquear. Por decir algo, Aquiles propuso:

—Te hago una apuesta a que te vas a morir sin ver nada.

Riendo, Sebastián replicó:

—Bueno, si gano yo, tú pagas mi funeral.

Aquiles no titubeó en aceptar.

—¿Y si ganas tú, qué quieres? —preguntó Sebastián.

Aquiles le palmoteó la espalda, diciendo:

—Si gano yo, te mando a la fosa común. ¿Qué te parece?

—Bueno, muy bien...

Se dieron la mano para sellar la apuesta.

—¿Pero cómo vamos a saber quién ganó? —preguntó Aquiles, comenzando a dudar.

—Creo que mirarme la cara será suficiente como para que sepas.

—Estás loco...

Ambos rieron. Y al despedirse de su protegido, Aquiles le aconsejó:

—Se me ocurre que lo que a ti te falta es energía, vitalidad. ¿Por qué no pruebas hacer ejercicios como yo? Me compré unas pesas y unos elásticos, y además todas las mañanas hago flexiones. Quizás así tendrías energías para divertirte y salir con mujeres...

Era más o menos lo mismo que su madre le insinuaba tímidamente, desesperada porque su hijo rehusaba todo entretenimiento, incluso ir al cine. Si alguna vez logró convencerlo de que la llevara, en la oscuridad de la sala Sebastián se quedaba dormido al instante. Adela había envejecido mucho, y cada día se debilitaban más sus ojos y sus oídos. Era como si lentamente todas sus facultades fueran apagándose, disolviéndose. ¡Había sufrido tanto! Sus sufrimientos eran el tema predilecto en sus conversaciones con la señora Mechita, cuyos dedos pecosos carecían ahora de su antigua destreza con el crochet, pero mostraba en cambio una creciente avidez por escuchar los pesares de los demás. En una ocasión Adela transmitió a su hijo, como dicho por la señora Mechita, lo que ella misma pensaba:

—La señora Mechita, que te quiere tanto porque te conoce casi desde que naciste, dice que a ella le parece que estás malgastando tu vida..., que debías divertirte, salir a veranear, por ejemplo. Dice que es necesario que reacciones, que dejes de dormir. Es como si estuvieras embrujado, dice ella, que cree en esas cosas...

Sebastián perdió la paciencia. Después de gritar un poco bajó la voz y dijo:

—Lo que más me da rabia es que me cuente estas cosas como si las hubiera dicho la señora Mechita. ¿Por qué no me dice francamente que es lo que usted misma piensa? No quiero que esto se repita, mamá. Yo trabajo con mucho gusto y cumplo con mi deber de mantenerla, porque la quiero. Pero no acepto que nadie, ni usted, se meta en mi vida. Es dolor suficiente no recordar nada, nada, por mucho esfuerzo que haga, de la felicidad que queda oculta detrás de la puerta cuando despierto. A veces pienso que debo abandonarlo todo, exponerme a morir de hambre si fuera necesario, para tener tiempo para dormir y dormir y dormir y dormir... hasta que la puerta se abra. Tengo miedo que la vida sea demasiado corta. Así es que si no tengo derecho a dormir en las horas libres que mi trabajo me deja, entonces no vale la pena que siga viviendo...

—No vale la pena que sigas viviendo para hacer lo que haces —respondió Adela, saliendo de la pieza con un portazo. Se encerró en su cuarto para gemir en voz alta de manera que su hijo no pudiera dejar de oírla.

Sebastián reflexionó que tratar de explicarle las cosas a su madre era inútil. Era inútil explicar nada a nadie. Todo esto era tanto más grande que él mismo y que la gente. Arrastrándolo hacia 'un fin desconocido, lo hacía con tal ímpetu, que arrancaba sus raíces de la tierra, y aislándolo, lo incomunicaba. Mientras crecía su angustia por no ser capaz de recordar su felicidad, le parecía que todo su proceso se aceleraba. Antes, cuando era niño, dormía como quien se entretiene, como quien ha descubierto un juguete un poco misterioso, pero juguete al fin y al cabo, y por lo tanto inofensivo. En aquella época dormía porque le gustaba, o cuando tenía tiempo, o simplemente cuando quería hacerlo. Pero ahora que saldaba sus cuentas con la humanidad manteniendo a su madre, trabajando, y hasta cierto punto tomando parte en las actividades de los seres vivos, se sentía con pleno derecho a dormir seriamente, con toda conciencia de su propósito, arrastrado por la auténtica y cada vez más desgarradora necesidad de saber lo que sus sueños contenían. Lo que antes era un pasatiempo era ahora la razón de su existencia, y le entregaba todas sus horas libres, presa de una vehemente sed de sueño, como quien se expone a perder algo más importante que la vida misma si no aprovecha todas, absolutamente todas sus horas. Pero al despertar, la puerta permanecía implacable, sellada, dejándole sólo un deslumbramiento, una ansiedad agotadora por conocer aquello que lo aclararía todo, permitiéndole, a la vez, encontrarse con los demás seres.

De tanto cavilar, de tanto rumiar la dura suerte que

167

en la vida le había tocado, y de pensar en las pocas satisfacciones que el destino inexplicable de su hijo le proporcionaba, Adela fue palideciendo y enflaqueciendo, triste y sola en el fondo de su cuarto de pensión. Comprobó definitivamente que ella no significaba nada para Sebastián, sólo otro objeto digno de vago cariño dentro del reino de los objetos. Era como si a costa de no tomarla en cuenta, su hijo la hubiera borrado de la vida, privándola de contorno y de peso. Adela no sólo estaba casi sorda y muy cegatona, sino que, además, las piernas le dolían mucho al andar. Tosía casi todo el tiempo. Y un buen día tosió demasiado, y como no tuvo fuerzas para llamar a nadie que pudiera ayudarla, murió como si finalmente se hubiera convencido de su propia falta de existencia.

Al regresar del funeral, Sebastián se quitó el sombrero y los guantes, dejándolos encima del mármol del peinador. Cerró los postigos de su cuarto, pidió a la señora Mechita que le enviara comida dos veces al día y se acostó a dormir, ávidamente, como si el fallecimiento de su madre hubiera desatado el último nudo que lo uniera al mundo. Durmió tres días y tres noches, los tres días de permiso de luto que con cara compungida le otorgó Marambio. Al despertar comprobó que la puerta permanecía cerrada aún y la luz oculta. Pero, y ésta era la maravillosa diferencia, sabía ahora con certeza que algún día, aunque fuera muy lejano, iba a poder recordar entera esa parte de su vida que se ocultaba detrás de la puerta del sueño. Era cosa de ponerse a hacerlo, nada más. Esta nueva fe lo hizo vestirse, peinarse y salir de su casa en dirección a la oficina, sintiéndose liviano como nunca, seguro, fortísimo. Se hizo anunciar a su jefe, que, recibiéndolo con un abrazo fraternal, lo invitó a tomar asiento en el sillón más cómodo de su despacho. Sebastián rechazó el cigarrillo que Aquiles le ofrecía y dijo:

—Vengo a presentar mi renuncia.

Aquiles Marambio se puso de pie de un salto. No comprendía esa decisión tan repentina. ¿Por qué? ¿Con qué objeto? ¿De qué iba a vivir? ¿No se daba cuenta de que si permanecía dentro de la organización se le presentaba un futuro envidiable? ¿Cómo podía ser tan inconsciente? Pero Sebastián se supo mantener firme en su propósito. Era como si no viera ni oyera a Aquiles.

Por fin, agotado de tanto discutir solo, el jefe miró a Sebastián y con tono insultante le preguntó:

—¿Y a qué te piensas dedicar? ¿A dormir todo el tiempo?

—Sí...

—¿Y para qué...?

Marambio sujetaba su ira.

—No sé, tengo que hacerlo, tengo que saber...

Aquiles se levantó furioso y comenzó a gritar:

—¡No me vengas con tus paparruchas de visiones! ¡Lo que pasa es que eres un flojo, como todos ustedes los que se creen espíritus selectos! ¿Qué te da derecho a una vida privilegiada? No, no me vengas con historias. Lo que tú quieres es pasarlo bien, no hacer nada, dormir y descansar. ¡Nada de visiones! Pero te advierto, te vas a morir y no vas a llegar a ver nada. Bueno..., muy bien, ahora ándate. Ah, y quiero advertirte una cosa, para que te acuerdes: después no me vengas a rogar que te ayude. Nosotros terminamos aquí toda amistad. Yo no soy amigo de vagabundos profesionales. Y si quieres flojear y pasarlo bien, tienes que pagar las consecuencias hasta el fin.

Herido, pero mirándolo serenamente, Sebastián le preguntó:

—¿Y la apuesta?

Aquiles se rió con desdén:

—¿Así es que tienes el coraje de seguir la broma, aún ahora? Muy bien, que esa apuesta permanezca

169

como nuestra única relación. Pero no sabes el gusto que voy a tener de hacerte meter en la fosa común...

Al salir a la calle, Sebastián respiró profundo, como si lo hiciera por primera vez. Ahora, por fin, era su propio dueño, sin sogas que lo ataran a nada ni a nadie, ahora iba a poder entregarle su vida entera al sueño, y con cada segundo más que durmiera se iría aproximando a aquello, se haría más y más posible abrir la puerta. ¿Qué importaba que lo creyeran un inútil? ¿Qué era él en la vida real sino un pobre empleaducho en una firma de importadores, que vivía en una pensión con olor a cortinas apolilladas? El sueño, en cambio, a pesar de no verlo aún, le entregaría armas poderosas, grandes y bellas palabras, colores elocuentes, todo un sistema de claridades, cosas inmensas y ricas con las cuales él, Sebastián Rengifo, haría retroceder de alguna manera el límite de la oscuridad. Sí, ahora estaba seguro. A lo que antes le entregaba unos pocos momentos libres le entregaría su vida entera. Viviría de modo que pudiera dormir el mayor número de horas posible, sin permitir que se interpusieran obligaciones de la llamada, «vida real». Ya no tenía para qué darle categoría a lo que no era más que sombras, la comida, el bienestar, la vestimenta, las diversiones, la gente. Así, viviendo siempre cercano a la puerta, estaría listo en cualquier momento en que se entreviera la luz.

La única manera de lograr este propósito era despojarse de todo. Y, ya que jamás le había gustado la ciudad, sobre todo cuando la primavera, como ahora, se insinuaba, vendió los muebles, liquidó todas sus pertenencias y, despidiéndose para siempre de la señora Mechita —que anegada en lágrimas exclamaba: «¡Estás loco, hijo, estás loco!»—, salió de la ciudad por un camino que conducía al norte.

El paisaje lo envolvió inmediatamente, suavizando su vigilia al prestarle un aire de sueño. Los sauces mecían sus cabezotas junto a esteros lentos y oscuros, y el mismo viento que revolvía sus tristes mechas dotaba de un vocabulario distinto a cada planta, a cada rama, a cada hoja. Allá, toda una loma azul de eucaliptos tiernos. Los senderos de rica tierra castaña donde los niños jugaban con la infinitud de perros de los pobres lo conducían hacia un tambo que con su aroma se anunciaba desde lejos, o hacia el brazo de humo que lo saludaba desde el techo de una choza oculta a medias entre los árboles. La corteza de cada árbol ostentaba el mapa de un tiempo y de una función distintos. Sebastián, en medio de todo esto, sintió que la distancia que antes separaba «la realidad diaria» de la otra realidad, de la más verdadera, se iba acortando, porque era como si todo este rico mundo exterior se incorporara a la realidad oculta del sueño.

Sebastián, fuerte y joven y contento con el verano que comenzaba, iba trabajando un tiempo aquí y otro allá, en las granjas y los campos. En un sitio ayudó al baño de las ovejas y le permitieron dormir en el corredor. Más allá tomó parte en la cosecha de los girasoles y luego le encargaron que desenterrara papas de la tierra negra. Después seguía su camino, mientras los tordos, como pedradas, amenazaban la fragilidad azul del cielo. Con el dinero que ganaba en tres días de trabajo podía no hacer nada durante una semana; y ese tiempo lo dormía entero, debajo de los duraznos pesados de frutas, o a campo abierto, o en un pajar. El sol tostó sus facciones y sus brazos. Una luz tranquila bañaba sus ojos. A veces, cuando de tarde en tarde regresaba a la ciudad, solía divisar a Aquiles Marambio, que al ver a Sebastián desviaba la vista o cruzaba rápidamente la calzada para no tener que dirigirle la palabra, alzando desde lejos un dedo enguantado, como para censurarlo o recordarle algo.

Poco a poco algo extraño le fue sucediendo a Sebastián: le resultaba imposible controlar su sueño. Ya

171

no podía «ponerse» a dormir, libremente y cuando lo deseaba, como en el pasado, porque el sueño se apoderó de su voluntad, adquiriendo una independencia que lo regía con despotismo. Ahora, de pronto, el sueño lo acometía porque sí, al borde de un camino, por ejemplo, y se veía obligado a encogerse allí mismo, entre las sucias malezas, para dormir. Inquieto, sentía que su sueño se rebasaba de su sitio, inundando su vida entera. Caía dormido en cualquier parte, de día o de noche, con frío o bajo el sol, durante la lluvia o en las horas de trabajo, y al despertar crecía su desesperación ante el recuerdo que se le negaba. Pero mientras más y más dormía, mientras más lo atormentaba saberse excluido de su propia felicidad, más fe sentía en que alguna vez iba a ver la puerta abierta de par en par, acogiéndolo. Era una cercanía prodigiosa lo que recordaba al despertar. Pero nada más.

Un día le entregaron una guadaña, prometiéndole que si cortaba todo el pasto de cierto potrero, y luego lo almacenaba en la bodega, le pagarían una linda suma de dinero. Con eso, pensó Sebastián, tendría para dormir un mes entero sin preocuparse de nada más, y lo que podía sucederle en todo un mes de sueño era incalculable. Con el torso desnudo y la guadaña al hombro vadeó el potrero de extremo a extremo. Las copas de las higueras eran líquidas y murmuradoras en el viento recién desatado, y en su espesa sombra azul, sobre el musgo, reposaban dos patos blancos como camisas recién lavadas que el viento hubiera dejado caer livianamente. Sebastián escuchó el alarido de los queltehues, y miró las nubes lerdas en su carrera sobre los dedos de los álamos. Se dijo: «Tengo que apurarme. Tengo que cortar el pasto y almacenarlo pronto, porque esta noche habrá tormenta...»

Trabajó toda la tarde. Las nubes eran cada vez más opacas y más bajas. Sebastián segó el pasto con el ímpetu de quien lucha por salvarse en la tormenta de un mar vegetal. Cuando tuvo todo el pasto cortado se supo vencido. Miró el cielo. Ya caía el agua. Dentro de un momento el sueño se apoderaría irresistible-mente de él. Y se quedó dormido sobre el pasto cortado, la lluvia cayendo sobre su cuerpo y la cosecha; la cosecha de pasto que ya no tardaría en podrirse. Al despertar, sus patrones, furiosos porque dejó que la cosecha se estropeara, rehusaron pagarle. Sebas-tián partió, caminando muchos días, porque de granja en granja se fue corriendo la voz de que no se podía contar con Sebastián.

Se le hizo difícil conseguir trabajo. En cada parte que le encargaban alguna faena, por ligera que fuera, le sucedía lo mismo: se quedaba dormido sin poder controlarse. Lo dejaban vigilando una olla y el guiso se quemaba; le pedían que cuidara a una criatura y ésta se caía de la cuna; lo mandaban llevar una carre-ta llena de paja, y desde la cima, al comienzo del ca-mino, picaneaba a los bueyes para dirigirlos, pero pronto se quedaba dormido y la carreta se extraviaba. La marca de los fracasados se grabó en su andar y en su voz y en los jirones de su ropa.

«Me estoy poniendo viejo...», meditaba.

Hubiera sido fácil dejarse morir, lanzarse ante un camión en una carretera o saltar desde un puente. Pero Sebastián no estaba dispuesto a hacerlo porque sólo si seguía viviendo podía seguir soñando. Se sen-tía cerca de una meta, pero muy cansado. Lo malo era que para vivir era necesario trabajar y nadie quería darle trabajo. La gente se apartaba de él como si lo temiera o trajera mala suerte. Desesperado, una tar-de se fue a un hospital de psiquiatría para rogar que le enseñaran a controlar su sueño. Lo atendieron dos médicos jóvenes y serios, benignos como ángeles ves-tidos de blanco. Escucharon con paciencia la historia de Sebastián.

—Sí —dijo uno—. Pero esto no es enfermedad...

173

—Aquí no podemos tratarlo —agregó el otro con un poco de pena.

—Pero tengo miedo de morirme, doctor... —rogó Sebastián.

—¿Y si se pasa todo el día durmiendo no le da lo mismo estar muerto?

—No, no, me falta tan poco, doctor. La puerta ya se va a abrir.

—¿La puerta? ¿Qué puerta?

Los médicos se dieron cuenta de que Sebastián era de esas personas un poquito desequilibradas, pero no tanto como para merecer un tratamiento intenso. Había demasiada gente verdaderamente enferma, y era necesario reservarse para ésos. Sin embargo, percibieron en Sebastián una especie de indefensión, no sabía a dónde ir, y temía tanto morir antes de que aquella misteriosa puerta se abriera. Conmovidos, los médicos le permitieron permanecer unos días en el hospital. Pero una noche, cuando hacían juntos la ronda de las salas, llegaron a la cama de Sebastián, y al ver su sonrisa, esa beatitud que iluminaba su rostro, decidieron que era imposible seguir manteniendo en el hospital a alguien que dormía tan tranquilamente. Lo despidieron a la mañana siguiente.

Sebastián sabía que el final estaba cerca. Ya no tenía nada en qué trabajar, y vagaba por las calles y los caminos, de casa en casa y de granja en granja, mendigando. Nada alrededor suyo le importaba, como si nada de lo que sucediera significara nada. Vivía en un mundo crepuscular, poblado de sombras, de ecos, de esperas. Se dejó crecer la barba y el pelo. La debilidad lo invadió. Caminaba por las carreteras, por las vías férreas, por las calles y las avenidas de la ciudad, y cuando el sueño lo tocaba se tendía a dormir en cualquier parte. Una vez un caballo se acercó a husmearle la cara creyéndole muerto. La gente se apartaba de él como si fuera un mago o un pervertido o un loco. Pero él seguía durmiendo confiado, porque cuando la puerta quedaba abierta, toda la gente que ahora huía de él lo reconocería.

A veces iba a la ciudad, porque allí resultaba más fácil conseguir alimento. En el mercado podía robar pan o un trozo de pescado frito. Pero generalmente lo reconocían, y alguna mujer sofocada bajo el peso de sus paquetes se encaraba con él, gritándole:

—¿No te da vergüenza, dormilón flojo? En vez de trabajar pides limosna y robas. Eres un asco para la humanidad. Debían echarte de la ciudad o meterte en la cárcel. Todavía no eres tan viejo como para no poder trabajar.

Pero no podía trabajar. El sueño se apoderaba inmediatamente de él, como indignado de que hiciera cualquier cosa que lo apartara de su poder. Una vez lo sorprendieron robando y lo llevaron a la cárcel. Lo soltaron pronto, pero quedó marcado como delincuente, y aquellos que antes sonreían con algo de benevolencia ante su pecadillo de la vagancia, cruzaban ahora a la vereda del frente al verlo venir.

Llegó el invierno, otro invierno más, y con éste la certeza para Sebastián de que iba a morir. Ya no le quedaban fuerzas. Pero le parecía que si lograba vivir unas semanas más, si encontraba qué comer y dónde refugiarse, iba a poder dormir, iba finalmente a recordar, a entender, a hablar. Morir antes sería el fracaso. Pero la esperanza de Sebastián era recia, lo único en él que no vacilaba. Era el fin. Pero quizás también el triunfo.

Hacía mucho frío. Bajo los yertos árboles negros del parque en el amanecer, Sebastián a veces encontraba pájaros que con el frío habían muerto. Para tratar de revivirlos soplaba sobre sus plumas grises, que, duras de escarcha, no se agitaban. En la ciudad vivía bajo un puente, y rodeándose de perros piojosos para que lo calentaran, cubriéndose de diarios viejos para que el viento no lo penetrara, logró dormir mucho, casi todo el tiempo. Sabía que ya, ya iba a recordar aquello, que ya, ya se iba a abrir la puerta. Era cosa de aferrarse a la vida unos días más, encontrar un poco de pan, protegerse un poco del hielo y de la escarcha. Era difícil. A veces pegaba la nariz a la ventana de una carnicería y se quedaba mirando el rojo caliente de los animales destripados que colgaban de los ganchos, y cuando alguien abría la puerta al salir, el olor espeso y sanguinolento calmaba un poco su hambre y su frío.

De pronto, un día tuvo una idea.

Iría a visitar a Aquiles Marambio, que no vivía lejos. Tal vez se conmoviera al ver su miseria. Tal vez, olvidando lo dicho años antes, tantos, tantos años, le diera comida, lo abrigara por algunos días, aunque las últimas veces que se cruzaron en la calle Marambio no reconoció a Sebastián. Tal vez...

Sebastián se hizo un cucurucho de diarios para protegerse la cabeza, y lentamente atravesó la tarde fría, las calles y las sombras de las casas y de los árboles y de los faroles apagados, mirando de vez en cuando el cielo plomizo rayado por los cables, hasta llegar a la casa de Marambio. Sobre los techos, las nubes restañaban casi todo el rojo que del crepúsculo quedaba. La noche caía. Iba a nevar. Sebastián tocó el timbre de la casa de Aquiles Marambio. Le abrió la puerta una sirvienta vestida de negro con un delantal de muselina blanca.

—¿Podría hablar con Aquiles Marambio? —preguntó Sebastián.

—¿Con don Aquiles? —la sirvienta recalcó el *don*—. Está comiendo. Vaya por la puerta de atrás, por la otra calle; esta puerta es para las visitas. ¿Quién lo busca?

Pronunciar su nombre, Sebastián Rengifo, fue como abrir la portezuela de una jaula dejándolo escapar, como un pájaro, para siempre. Aguardó junto a la puerta de atrás, en un callejón donde el viento preso lloraba. Sebastián se caló más hondo su gorro triangular de papel de diario y anudó bien los trapos viejos que cubrían sus pies. Sin rostro ya, sin nombre, se sentó en el umbral de la puerta a esperar.

La puerta se abrió por fin. Apareció Aquiles Marambio, bastante gordo con los años, llevando una amplia servilleta blanca anudada bajo su papada.

—¿Quiere hablar conmigo? —preguntó.

—Sí... ¿No se acuerda de mí?

Marambio limpió con la punta de la servilleta el vaho que al salir al frío empañó sus anteojos. Detrás de él, en el segmento de habitación que la puerta mostraba, algunas personas reían junto a una mesa servida.

—No me acuerdo. Apúrese, dígame lo que necesita, mire que hace frío y hay mucha gripe...

Una lágrima se heló en las pestañas de Sebastián.

—Si no me dice lo que necesita, voy a cerrar —amenazó Marambio.

—No me conoce —balbuceó Sebastián.

—No, hombre, no lo conozco. ¿Cómo quiere que conozca a todos los vagabundos de la ciudad? Además, con esa barba y esa mugre...

—Venía a pedirle que me diera que comer y donde vivir por unos días, señor. Me voy a morir y no puedo hasta que vea la puerta abierta..., por favor...

Una nube de reconocimiento ensombreció el rostro de Marambio.

—¿Hasta qué? ¿Qué puerta?

—...la puerta y yo pueda ver...

—No, no, no. Váyase de aquí. No se va a morir. Todavía no está tan viejo como para que no encuentre trabajo. Usted quiso ser lo que es...; váyase. Buenas noches. Yo no tengo nada que ver con usted.

Y cerró la puerta.

Sebastián se encogió como mejor pudo para dormir en el umbral.

Durante la noche se abrió el cielo, y las estrellas, parpadeando apenas, miraban precisas desde un cielo terriblemente negro y hondo, que dejó caer una dura escarcha. Y a la mañana siguiente, domingo, el cielo amaneció despejadísimo, azul y frágil y delgado como un volantín inmenso. El sol no calentaba las calles, pero su luz nítida señalaba todos los ángulos y los contornos.

Don Aquiles Marambio, su señora y sus dos hijitas, de seis y siete años, salieron temprano para ir a misa. Asistieron al Santo Sacrificio con toda unción, y regresaron lentamente por las soleadas veredas, saludando a los conocidos, deteniéndose de vez en cuando para dar paraditas en el suelo, palmoteando para que se desentumecieran sus dedos. Unos pasos más adelante, María Patricia y María Isabel, casi del mismo tamaño, tocadas con gorras de piel blanca y con manguitos de la misma piel, dejaban orgullosas que los que pasaban admiraran la corrección de su porte y el lujo de sus atuendos.

Al entrar por el callejón que llevaba a la puerta trasera de la casa, las plumas de vaho que tan serenamente se elevaban desde las bocas de las cuatro personas de la familia Marambio, se cortaron de pronto. Aquiles y su señora se detuvieron. Las niñas, con chillidos, buscaron refugio junto a las piernas de sus progenitores. Porque allí, en el umbral de la casa, yacía una forma humana peluda y sucia, cubierta de diarios húmedos. Se acercaron con cautela. Marambio movió la forma con el pie.

—Está muerto... —murmuró.

La mujer se agachó para sacarle el gorro que le tapaba la cara. Marambio exclamó:

—No seas idiota. Déjalo así. ¿Para qué quieres verle la cara?

Pero la mujer ya lo había hecho, y el rostro del
muerto, debajo de las barbas y de la mugre, apareció
transfigurado por una expresión de tal goce, de tal alegría y embeleso, que María Patricia, acercándose a él
sin miedo, exclamó:

—Mira, papito, qué lindo. Parece que hubiera visto...

—Cállate, no digas estupideces —exclamó Marambio furioso.

—Parece que estuviera viendo...

Antes de que María Isabel pudiera decir lo que
parecía que el muerto estuviera viendo, Marambio
tomó a sus dos hijas violentamente y las empujó para
que etraran en la casa. Ellas, de la mano, obedecieron
sin los pucheros y lloriqueos de costumbre cuando su
padre las contrariaba, hablando entre sí de lo bonito
que eran los muertos, prometiéndose que nunca más
le harían caso a la gente grande, que les tenían tanto
miedo. Marambio llamó a la policía para comunicar
que un vagabundo había amanecido muerto en el umbral de su puerta de servicio. Y como don Aquiles
era un hombre de pro, y además con gran sentido
cívico, dispuso que, ya que el cadáver había amanecido en su puerta, no lo echaran así no más a la fosa
común. Él se haría cargo de los gastos del funeral, no
de primera, claro, eso sería absurdo, sino de un buen
funeral de tercera, que para un vagabundo sin nombre al fin y al cabo era un lujo con que no podía
haber contado.

ANA MARÍA

1

«¡QUÉ RARO QUE dejen a una niñita tan chica sola en un jardín tan grande!», pensó el viejo, enjugándose el sudor del rostro con un pañuelo que después repuso en el bolsillo de su raída chaqueta.

La niña era, en realidad, pequeñísima, llegaría apenas a los tres años, y era como una molécula que flotara un instante, desapareciendo luego, entre los troncos de los castaños y los nogales, allá en el fondo de la perspectiva azul vertida por el follaje. Los ojos del viejo buscaron a la niñita: parecía que el desorden vegetal la hubiera devorado, ese silencio cuyos únicos pobladores eran el zumbido de los insectos y el filo de una acequia extraviada entre las champas de maleza y las zarzas. El hombre se inquietó un momento al no divisarla. Pronto, sin embargo, sus ojos encontraron a la pequeña figura agazapada en un charco de flores amarillas que en lo más espeso de las sombras falsificaba un trozo de sol. Entonces el viejo suspiró con alivio, murmurando:

—¡Pobrecita...!

Se sentó bajo el sauce que desde una esquina de la propiedad sombreaba la acera. Con ramas secas fue haciendo un fuego minúsculo, donde puso a calentar su té en un tarrito. Sacó un pedazo de pan, tomates, una cebolla y comió, pensando que era raro no haber visto antes a la niñita. Siempre había creído desierto ese predio cercado por alambres de púas, aunque a veces le pareciera descubrir entre los árboles del fondo una casa construida como para mientras, pequeña e indigna de su emplazamiento. Había escudriñado el jardín en más de una ocasión extrañándose de no ver jamás a nadie. Después dejó de extrañarse.

Todos los días acudía a almorzar bajo el sauce y a dormitar un poco junto a esa isla de verdor, lo único vegetado del barrio. Y a las dos de la tarde volvía a la construcción donde trabajaba, dos cuadras más allá por la calle en que casi todos los sitios permanecían sin casas aún y secos.

El hombre se tendió boca abajo junto al alambrado. Protegido del calor brutal del mediodía, escuchaba el correr de la acequia, y atento al levísimo agitarse de las hojas, vigilaba el jardín. A lo lejos, quizá brotaba espontáneamente como parte de la vegetación, vio a la niña: diminuta y casi desnuda, se hallaba de pie cerca de un tronco voluminoso que una enredadera de rosas rojas trepaba con una urgencia casi animal. Estuvo observándola un rato: cómo en sus juegos se escabullía entre los matorrales, cómo se alejaba de pronto, cómo una sombra especialmente densa diluía el pequeño cuerpo blanco. Más tarde el hombre limpió su tarrito, y después de pisotear lo que quedaba de fuego, regresó al trabajo.

Al terminar la faena del día, el viejo no partió con el grupo de obreros que se adelantaron riendo y cimbrando sus bolsones llenos de ropa. Se rezagó con el fin de detenerse ante el jardín por si veía a la niñita. Pero no la vio.

Al anochecer se sentó a fumar junto a la puerta de la choza donde vivía, en el confín opuesto de la ciudad. Su mujer, en cuclillas a la entrada, soplaba sobre un brasero en el que iba a poner una cacerola en cuanto los carbones enrojecieran. El viejo no sabía si decírselo o no. En treinta o más años de casado, nunca llegó a comprender qué cosas era posible decirle a su mujer sin enojarla..., aunque en realidad hacía largo tiempo que era indiferente a los enojos de su mujer. Entonces le dijo que había visto a una niñita muy chica, sola en un jardín muy grande.

—¿Sola? —por un instante algunos surcos suavizaron el rostro de la mujer.

—Y era rubiecita... —agregó el hombre en voz baja.

Al oír el tono de su marido la dureza volvió a encerrar el rostro de la mujer, y sopló con fuerza sobre el brasero de modo que una cola de chispas estalló en la noche miserable. Después entró a buscar la cacerola, segura, ahora más que nunca, del desprecio del hombre. Esta era, sin duda, la hora aguardada desde siempre, cuando el hombre, fatigado de odiar en silencio su fracaso como mujer, la llamaría «mula». «La Mula», como le decían orgullosas las comadres de la población, que agobiadas bajo la necesidad de alimentar innumerables hijos esquivaron siempre todo trato con la mujer, por agria y silenciosa. A lo largo de los años se había ocultado en una nube de malhumor y desolación en espera del momento de retirarse para ceder su sitio a otra que lo mereciera más. En un comienzo, cuando siquiera algo de juventud les quedaba, el hombre le tuvo un poco de lástima. Pero después ya era demasiado difícil llegar a ella. Y al envejecer se había acumulado tanta distancia entre ambos, que quedó una acritud casi muda como única relación tangible y positiva.

Esa noche la mujer sirvió de mal modo el plato de sopa a su marido. Él cuchareó sin pensar esta vez que era la misma sopa de siempre, la que nunca en todos sus años de casado llegó a gustarle. Luego se acostaron. La mujer solía moverse y hablar tanto mientras dormía, que a menudo al hombre le era difícil conciliar el sueño. Pero a veces se quedaba tensa, despierta largas horas, y entonces no se movía. La noche en que el hombre le dijo que había visto a una niñita muy chica, sola en un jardín muy grande, la mujer permaneció muda, tranquila, como si aguardara.

Todos los días, a la hora del almuerzo, el hombre

se tendía en la acera sombreada por el sauce, cerca
del alambrado, mirando el jardín. A veces divisaba a
la niñita, lejos, casi desnuda, siempre sola, flotando
en esa isla de luz vegetal. Pero otras veces no lograba
verla porque se dormía, tan endeble era su vejez bajo
el calor y el trabajo de la jornada. Como no tenía a
nadie con quien comentarlo, sucedió que varias veces
dijo alguna cosa sobre la niñita a su mujer, cuyo
espíritu se fue encogiendo más y más, hasta que ya no
hubo ni siquiera acritud entre ellos.

Un día el hombre despertó sobresaltado bajo el
sauce. Escudriñó la espesura del jardín sin ver a nadie.
Pero de pronto, detrás del alambrado, donde la sombra
de un arbusto pesaba más, vio dos ojos inmensos, hondos, claros, mirándolo fijamente desde la oscuridad.
El temor lo despabiló.

Eran los ojos de la niñita. Su cuerpo se fue despren-
diendo de los reflejos verdes de las hojas. El hombre,
avergonzado, como si hiciera algo malo al dormir bajo
un sauce de propiedad ajena, comenzó a ponerse de
pie para marcharse. Pero antes que lograra hacerlo, la
niñita se había acercado al alambrado, exclamando:

—¡Mi amó...!

Todo el asombro que yacía inutilizado en el viejo,
sonrió.

—¡Dindo...!

Los ojos de la niñita eran tan grandes y claros que
parecían fosforecer en el pequeño rostro cercado por
una chasquilla rubia. Ambos quedaron mirándose inmóviles. Luego el hombre preguntó:

—¿Cómo se llama, señorita?

Ella no comprendió inmediatamente y el hombre
tuvo que repetir la pregunta. Esta vez la niña respondió, sonriéndole:

—Ana María...

No pudiendo resistir, el anciano introdujo una
mano entre los alambres para acariciar el cabello de

186

Ana María. Ella se puso seria, como si meditara. Después, riendo, lo miró derecho a los ojos borroneados por el asombro y le mostró una bolsa que llevaba colgada al brazo. Exclamó:

—¡Cateda…, catedita!

—¡Qué linda la cartera de la señorita!

—¡Dinda! ¡Dinda tú, mi amó! —exclamó Ana María.

Y, alejándose de los alambres, casi disuelta por las sombras de las hojas, agitó una mano despidiéndose del viejo. Entonces se perdió entre los matorrales del jardín.

«¡Pobrecita!», se dijo el hombre.

Esa noche le contó a su mujer que la niñita se llamaba Ana María. No le dijo nada más. Pero el cuerpo de la mujer se encorvó salvajemente humillado sobre el fuego donde hervía la ropa. Más tarde dijo a su marido que esa noche no había nada para comer. Pero esto era cosa corriente para el viejo, y se acostó temprano, porque durmiendo el hambre no se siente. La mujer se acostó en silencio y muy quieta a su lado.

2

En la casa del fondo del jardín el padre y la madre
de Ana María se hallaban tendidos uno junto al otro
en el angosto lecho revuelto. La ficción de luz subacuá-
tica que atravesaba los postigos verdes cerrados caía
sobre los cuerpos brillantes de transpiración, inundando la pequeña alcoba. Un runruneo persistente de
moscas, moscardones, mantenía el aire palpitante, el
aire húmedo con olor a cuerpos exhaustos y a cigarrillos y a sábanas usadas.

El hombre se movió apenas. Pasó una mano por su
pecho y su vientre para secar la transpiración, y al
limpiarse la palma en la almohada sucia, hizo una mue-
ca de asco sin abrir los ojos. Después los entreabrió
lentamente, como si el sudor pesara demasiado sobre
sus párpados, y se puso de costado, observando el cuerpo de su mujer. Era bello, bello y blanco. Demasiado
grande y carnoso quizá, pero bello, y al tocar la sábana el contorno de ese cuerpo era subrayado por un
pliegue de carne pesada y abundante. El hombre sabía
que ella dormía sólo a medias. En su carne alba, donde
el cuello se unía al pecho, vio estampado uno de sus
propios cabellos, negro, potente, rizado. Lo extrajo lentamente, dejando un ligero surco rojizo en el cutis, que
fue palideciendo. Después, con gestos muy livianos,
mató varios insectos levísimos y verdes, que viniendo
de la espesura del jardín, donde todo se propagaba,
todo crecía, se hallaban instalados en la piel de su
mujer. Había uno casi invisible en su axila, descubierta porque dormía con los brazos cruzados detrás de la
cabeza: lo aplastó con una presión intencionada. La

mujer sonrió. Él le acarició el vello de la axila, el revés del brazo, más blanco aún que el resto del cuerpo. La mujer se volvió hacia el hombre y quedaron abrazados.

Después dormitaron otro poco. Hasta que, abriendo los ojos completamente, el hombre exclamó:

—¡Son las dos de la tarde! ¡Tengo hambre!

La mujer se estiró, murmurando en medio de un bostezo:

—Creo que no tengo nada que comer...

Los dos bostezaron juntos.

—Vi huevos...

—Es que a la chiquilla ya le di huevos en la mañana.

—¡Bah! ¿Qué importa? —dijo el hombre, dándose una vuelta en la cama y durmiéndose con una pierna pesada sobre el muslo de su mujer.

Ella se liberó de ese peso, incorporándose un poco. Dejó una mancha de transpiración en la sábana. Se apoyó en la espalda amplia y dura de su marido y sus dedos jugaron en los músculos de sus hombros. Pero no. Recapacitando, hizo un esfuerzo. Tomó una peineta que halló en el suelo junto a la cama, al lado de la concha llena de cigarrillos a medio fumar, y con un movimiento perito reunió en lo alto de su nuca sus cabellos húmedos. Luego metió los pies en los zapatos blancos y sucios de tacones altos, y desnuda se dirigió a la cocina.

En efecto, no había más que huevos en la heladera. Al ver los platos sucios del desayuno de esa mañana y de la cena de la noche anterior, hizo con los hombros un gesto de indiferencia y sacó platos limpios para no tener que lavar los otros. Mientras cocinaba puso la radio, un programa de bailables ruidosos. Iba llevando el compás de la música con el alto tacón de su zapato. Cimbraba su cuerpo desnudo a medida que revolvía los huevos.

189

—Ya me despertaste con tu música —gritó el hombre desde el dormitorio.

—¡Bah! ¡Ya has dormido bastante!

El hombre se levantó. Comenzó a hacer gimnasia frente a un espejo largo. Entre flexión y flexión, preguntó:

—Oye. ¿Y la chiquilla dónde andará?

—Por ahí... —respondió la mujer—. Es domingo, así es que sabe que no puede molestar...

—Es muy chica para saber que es domingo.

—Pero sabe que no puede molestar cuando tú estás aquí.

La mujer sirvió el plato de su marido y el de su hija. Echó su propia ración en una taza porque no pudo encontrar otro plato limpio y no se decidió a lavar los otros. Se puso un peinador, su marido unos calzoncillos, y después de llamar a Ana María a gritos desde la puerta de la casa, los tres se sentaron a la pequeña mesa de la sala, donde generalmente comían.

Cuando Ana María vio los huevos, dijo:

—No quielo.

Pero ellos no la escucharon, porque se estaban riendo de los chistes de una revista ilustrada. Más tarde la mujer vio que Ana María no había comido y que la estaba mirando fijo con sus enormes ojos claros, tan transparentes. Se sintió incómoda y le dijo secamente:

—¡Come...!

Ana María miró los huevos y dijo otra vez:

—No quielo...

—Toma pan entonces, y ándate...

Ana María se fue.

—¿Comió esta mañana? —preguntó el hombre.

—Sí, creo que sí. Yo estaba medio atontada, así es que no me di cuenta...

—¿Atontada? ¿Y por qué?

—¿Me preguntas por qué después de todo lo de anoche? ¡Bruto!

Rieron.

—Lava los platos ligero...

—No pienso. ¿Crees que me casé contigo para ser sirvienta tuya y de la chiquilla?

Dejando todo revuelto tal como estaba, volvieron al dormitorio. Después de unos instantes de juegos ambiguos y de dormitar, el hombre propuso:

—Oye. ¿Vamos al biógrafo esta noche?

—Bueno, pero tenemos que dejar a la chiquilla dormida primero, y con llave.

—Bueno..., como siempre.

—Sí. Pero está tan rara, yo no sé qué le pasará. ¿No te has fijado? A veces la encuentro..., no sé..., es como si me diera, bueno..., miedo. Fíjate que el otro día cuando volvimos del biógrafo estaba despierta, se estaba haciendo la dormida no más, y eso que era como la una de la mañana...

—¿Y? ¿Qué hay con eso?

—No sé, es tan chica.

—No seas tonta. ¿Qué importa? Tiene todo el día para dormir si quiere.

—Siempre ha sido medio rara. Hasta atrasada para hablar la encuentro. Fíjate que lo único que le gusta para jugar es esa bolsa donde le guardo los zapatos..., qué sé yo qué gracia le encontrará... Cateda, le dice.

—Mm..., es rara...

—Y hasta un poco pesada a veces cuando me mira fijo con esos ojos como de animal que tiene. Fíjate que el otro día, no más, estaba durmiendo en la silla de lona del jardín, tú sabes que el calor me da tanto sueño...

Riendo, la mujer acarició el vello húmedo del pecho de su marido.

—...bueno, y me había quedado dormida. De repente desperté. Lo primero que vi, no muy cerca, en la sombra del tilo ese que hay, fue a la chiquilla, más bien los ojos de la chiquilla mirándome como lela desde la sombra. Cuando se dio cuenta de que yo había despertado, salió corriendo.

—¡Bah! ¡Qué idiota eres! ¿Y eso, qué tiene?

—No sé, pero es raro. Y el otro día. Fíjate que me había andado rondando toda la mañana para que la tomara o qué sé yo qué, pero sin decirme nada y sin acercarse mucho. Pero yo no tenía ganas de hacer nada, estaba como cansada, no sé...

—¡Cuándo no, la floja!

—...hasta que por fin la tomé. Entonces comenzó a abrazarme y reírse y a hacerme tanto cariño, en una forma tan empalagosa, que me dio no sé..., algo así como miedo o asco. Pero a veces también es una monada, ah. Y me estaba diciendo «mi amó» y «dinda», tú sabes, las primeras cosas que aprendió a decir, quién sabe dónde, porque tú nunca me las dices...

—¿Nunca? ¿Cómo?

—No. Nunca...

—Pero te digo cosas mejores.

—Bueno, pero no ésas. Bueno, estaba haciéndome cariño en lo mejor y yo de lo más asustada, cuando, ¿sabes lo que hizo?

—No...

—Me mordió la oreja.

El hombre se rió.

—¿Te mordió la oreja? ¿Y cómo sabrá esta diabla que te gusta?

—No seas tonto, no así. No te rías, mira que no me la mordió nada de despacio. Me la mordió muy fuerte, como si quisiera rebanármela con esos dientes chiquititos y filudos que tiene. Me dolió tanto que di un chillido y la solté. Y salió arrancando a toda carrera como si supiera que había hecho una cosa mala. Era en la mañana. No volvió a almorzar, ni en todo el día. Y como tú sabes que a mí me carga salir para el jardín, para allá los árboles, no la fui a buscar. Pero cuando llegó en la noche, con cara de miedo, la castigué...

—¿Y qué le hiciste?

—¡Qué sé yo! ¿Cómo quieres que me acuerde?

El hombre se rió de nuevo, esta vez de un chiste de la revista ilustrada, que estuvo hojeando durante la conversación. Sentía junto al suyo todo el dibujo un poco húmedo del cuerpo de su mujer. Fumaron, y uno de ellos fue a traer la radio para escuchar música. La luz verde de los postigos y del jardín comenzó a palidecer.

3

El viejo continuó yendo a almorzar todos los días bajo el sauce. Ya no era necesario escudriñar el jardín porque la niñita siempre lo aguardaba junto a los alambres. De alguna manera parecía adivinar la hora, y si el hombre venía atrasado, lo miraba con cierta dureza. Pero pronto le sonreía murmurando:

—Mi amó. Dindo...

El viejo, esforzándose, levantaba a Ana María por encima del cerco para sentarla a su lado. Le permitía encender el fuego para calentar el té. Entonces comía pan, rara vez un trozo de carne, cebollas y tomates, compartiendo sus menestras con ella, que siempre parecía hambrienta.

Un obrero de la construcción sorprendió una vez el coloquio del viejo con Ana María. Desde entonces sus compañeros de trabajo no lo dejaron vivir tranquilo.

—¡Oye, viejo enamorado! ¿Y? ¿Cómo está tu amorcito?

Oía sus risas pacientemente. Mientras empujaba la carretilla de argamasa, las piernas temblorosas de edad apenas lo sostenían en su carrera tablón abajo. Sus ojos borrosos de tierra y sudor casi no veían a los obreros jóvenes que le lanzaban pullas desde los andamios:

—¡Oye, viejo diablo! ¡Cuidadito, mira que te van a llevar preso!

Y pensando en lo que Ana María le había dicho a la hora de almuerzo, se sonrojaba bajo la mugre de su rostro.

La niña se había sentado junto a él en la sombra, abriendo de pronto su eterna bolsa, para mostrarle un par de zapatos.

—¡Tatos! ¿Dindo patita?

También traía dentro de la bolsa una cinta chafada, pero reluciente. Con manos torpes el viejo la ató al cabello rubio de la niña, y ella, ufana, palpó la rosa de cinta celeste. La niña le mostró también otras cosas, un dado, una caja de remedios, otra de fósforos, la cabeza trizada de una muñeca. Eso fue lo último que sacó de la bolsa, como si no quisiera que su amigo la viera, como si ella misma no quisiera verla. Era una cabeza rubia, mofletuda, de rostro sensual y complacido.

—¿Y esto? ¿Qué es, señorita?

Los ojos de Ana María de pronto se colmaron de lágrimas, que quedaron suspendidas en ellos sin caer, magnificándolos prodigiosamente.

—Mala... —murmuró la niña.

—¿Por qué?

Entonces agitó con vehemencia el juguete roto, exclamando:

—Mala, mala, mala...

Y lo lanzó a la espesura del jardín. En ese momento se desbordaron sus ojos y quedó inmóvil, mirando al viejo, las mejillas anegadas y las pestañas húmedas.

El viejo tomó a Ana María en brazos, acunando la cabeza sobre su hombro, hasta que amainó el llanto silencioso. Le limpió las lágrimas con su propio pañuelo. Entonces la niña le dijo, acariciando con su mano diminuta su rostro surcado y sin afeitar:

—Dindo..., dindo, mi amó...

Y después el hombre se marchó contento.

En las tardes, fumando a la puerta de su choza, veía caer la oscuridad sobre las techumbres improvisadas de la población. Allí también pensaba en la niñita tan chica, sola en el jardín tan grande. Sin hacer proyectos, sin recordar incidentes, se abría entero para permitir que la presencia de Ana María lo inundara. Y su mujer lo acechaba casi sin mirarlo, con la certeza de estar ante su momento de partir, de ceder su sitio a otra.

Pasó un tiempo y la construcción donde el viejo trabajaba quedó completa. Despacharon a los obreros, que pronto encontraron nuevas ocupaciones, pero nadie quiso dar trabajo a un ser tan endeble como el viejo. Él comprendió sin zozobra su situación. En cambio lo inquietaba pensar en Ana María, aguardándolo junto al alambrado en el extremo opuesto de la ciudad, para hablar un rato con él y para que le diera pan y cebolla.

La mujer era lavandera y con eso se mantenían. El viejo estaba seguro de que ella jamás le iba a echar en cara su ociosidad, a pesar de que su silencio llegó a adquirir una consistencia casi sólida. Pero la mujer no decía nada porque no tenía derecho a nada. Sólo lo observaba sentado a la puerta de la choza, en la mañana, al mediodía, al atardecer, meditando. Con las manos desplomadas, una sobre cada rodilla y sonriendo apenas, parecía contar los segundos contenidos en cada hora. Los labios del viejo se movían casi imperceptiblemente. «¡Pobrecita!», leía la mujer en ellos, y en esa palabra dicha para otra halló su propia condena.

Sin embargo, dos o tres veces el hombre fue a ver a la niñita. Le robaba un pedazo de pan a su mujer y, murmurando entre dientes que iba a buscar trabajo, salía muy de mañana. La mujer sabía que no era verdad.

El viejo caminaba lentamente, descansando de vez en cuando al lado de algún árbol en un parque, tomando del suelo alguna hoja de diario para leerla mientras reposaba. Y cuando se sentía descansado, seguía caminando, lentamente, hasta atravesar la ciudad entera y llegar al jardín donde Ana María lo aguardaba, a la misma hora de los antiguos almuerzos bajo el sauce.

Lo primero que el viejo veía eran los ojos hondos, azules, brillando furtivos entre las ramas. Al verlo llegar la niñita avanzaba alborozada para que su amigo la levantara por encima del cerco. Entonces, comiendo y hablando debajo del sauce, era como si nada en el mundo pudiera turbarlos.

La mujer no pudo soportar la situación más tiempo. Lo poco que le quedaba de un mundo que nunca fue abundante y que con los años había mermado más y más, terminó por derrumbarse. Pasaba los días trabajando duramente, con fiereza, para matar en sí todo lo que se atreviera a sentir. Pero antes de entregarse por completo a lo inevitable, algún rescoldo escondido de energía la impulsó a una determinación.

Un buen día compró un cucurucho de caramelos, y, tomando un autobús, se dirigió al jardín vecino a la construcción, donde la niñita vivía. Se instaló bajo el sauce. Era, en realidad, inmenso y verde el jardín, un lujo de árboles y de frescor y de hondura. Cerca de ella, en la sombra, quedaban aún las manchas negras de las fogatas en que su marido calentaba el té. Se sentó a aguardar.

De pronto divisó a lo lejos a la niñita chapoteando en la acequia, su cuerpo blanco herido por los reflejos del agua. Al descubrirla, en el corazón de la mujer se anudaron el asombro, la mudez, el odio. Se puso de pie junto a los alambres de púa para que, viéndola desde lejos, Ana María acudiera.

Pero Ana María no la miró. Sin embargo, sacó los pies del agua, y poco a poco, sin que la mujer supiera cómo, circundando matorrales y zarzas, se fue acercando al sauce. Pero se mantuvo emboscada a cierta distancia.

197

Entonces la mujer divisó los ojos hondos, azules, mirándola con dureza desde la sombra, atrapándola en su claridad hostil. Con un último esfuerzo, la mujer, en alguna parte de sí, extrajo una sonrisa. Pero la niñita permaneció quieta detrás del matorral, mirándola.

La mujer comenzó a flaquear. Todo había sido en vano. Todo, siempre, fue en vano. Como último recurso, le mostró los dulces, diciéndole:

—¿Se sirve un dulce, señorita?

La niña movió la cabeza negativamente. La mujer insistió:

—Están ricos...

—No quielo... —respondió Ana María.

Finalmente, toda la máscara de desolación y del fracaso se desplomó sobre el rostro de la mujer. Se disponía a partir. En ese momento la niñita avanzó unos pasos:

—¡Mala! ¡Mala! ¡Mala! —exclamó, mirándola fijo. Y la mujer escapó derrotada.

Cuando llegó a su casa le dijo al viejo que una familia para la que lavaba le había pedido que se empleara con ellos puertas adentro, para que no le faltaran casa ni comida. Además, una vecina deseaba arrendar la mejora en que vivían. Ella iba a partir a la mañana siguiente. Se quedaron en silencio. Luego, al hombre le pareció que la mujer le preguntaba desde un rincón del cuarto:

—¿Y tú, qué vas a hacer?

—No sé —respondió él en voz alta.

Y la mujer lo miró extrañada.

Hacía un mes que el hombre no veía a la niñita. Estaba tan viejo, más fatigado cada hora, que caminar hasta el extremo opuesto de la ciudad le resultaba casi imposible.

Pero mañana, cuando su mujer ya no existiera, iría a despedirse de la niñita. Después nada importaba.

Quizá lo mejor fuera irse a algún sitio desierto, a un cerro, por ejemplo, y esperar la noche para morir. Estaba seguro de que con sólo encorvarse en el suelo y desearlo, la muerte vendría.

A la mañana siguiente tomó el último pedazo de pan y caminó más lentamente que nunca hasta el jardín de Ana María. Era domingo. La gente que en los parques se refugiaba a la sombra de los árboles no lo miraba, porque era como si ya no existiera.

La niñita lo aguardaba como de costumbre junto al alambrado. Y tal como la primera vez, lo agobió el asombro de ver a una niñita tan chica, sola en un jardín tan grande.

«¡Pobrecita!», se dijo, acercándose.

—¡Mi amó! —murmuró la niña al verlo.

La levantó por encima de los alambres, y Ana María lo abrazó y lo besó riendo.

—¡Mi señorita linda! —exclamó el viejo una y otra vez, acariciándola con sus manos oscuras—. ¿Y su carterita? —murmuró unos momentos más tarde.

El rostro de Ana María se ensombreció repentinamente. Levantó los hombros y dijo:

—No..., na...

Permanecieron juntos largo rato a la sombra del sauce, hasta que el viejo pensó que era el momento de irse. La colocó al otro lado de la cerca. Y, acariciándole la cabeza rubia por entre los alambres, murmuró:

—Adiós, señorita...

Ella lo miró sobresaltada, como si comprendiera todo.

—No, no, mi amó, no... —dijo con los ojos agrandados por las lágrimas.

—Adiós... —repitió él.

Ana María retuvo con fuerza la mano del viejo. Pero de pronto, como si hubiera ideado un plan, sonrió. Sus lágrimas se secaron y dijo:

—Esperra, esperra..., catedita...

El hombre vio perderse a su amiga entre la vegetación, como si fuera la última vez que viera a la niñita tan chica, sola, huyendo entre los troncos y los matorrales del jardín tan grande.

Ana María abrió la puerta de su casa y entró a la sala, murmurando:

—Cateda..., cateda... —buscando por la cocina, en el cuarto, en la alacena.

Pero no la encontró.

Antes de entrar al cuarto de sus padres titubeó un segundo. Pero empujó la puerta. En la luz verde poblada de zumbidos, la pareja deshizo brutalmente su nudo, y al ver a la niña, avergonzados y furiosos, se cubrieron a medias con la sábana. Los ojos de la mujer clavaron a su hija en la puerta.

—¡Chiquilla estúpida! —chilló, incorporándose a medias.

Tenía el cabello revuelto. Se cubrió con una esquina de la sábana.

—¿Que no sabes que no nos puedes molestar? —gritó el hombre.

—¡Cateda! —murmuró Ana María, buscándola con la vista por todo el cuarto pesado con la atmósfera de la intimidad de sus padres.

—Te he dicho que no quiero que juegues con esa bolsa. Me la vas a perder. Ya..., ándate.

—Dale la bolsa mejor para que se vaya... —murmuró el hombre, extendiendo la sábana para cubrir su cuerpo.

—Ahí, encima de la silla...; ya, ándate...

La niña se apoderó de la bolsa y salió corriendo sin mirar a sus padres, que volvieron a hundirse en el lecho, aliviados, pero incómodos.

Ana María corrió a través del jardín, saltó, voló más bien, por encima de la acequia, exponiéndose a los medallones de luz flotante que caían a través del boscaje diluyéndolo todo. El viejo la aguardaba junto al alambrado. La niña le dijo:

—Upa, upa...

El viejo la levantó, depositándola a su lado. Temblaba un poco porque era muy viejo y sabía lo que iba a suceder, y no sabía tantas cosas. Ana María se sentó en el suelo a su lado y sacó los zapatos de la bolsa. Rogó al hombre:

—Tatos. Pon patitas...

El viejo se arrodilló para calzarla con manos torpes. Luego se pusieron de pie bajo el sauce, el anciano encorvado y oscuro junto a la niñita con la bolsa al brazo. Él la miró como si esperara algo. Entonces Ana María le sonrió como en los mejores tiempos, desde lo hondo de sus ojos fosforescentes y azules:

—Mi amó —le dijo.

Y tomando al viejo de la mano lo hizo caminar fuera de la sombra del sauce, al calor brutal del mediodía de verano. Lo iba guiando, llevándoselo, y le decía:

—Mamos..., mamos...

El viejo la siguió.

PASEO

Para Mabel Cardahi

1

ESTO SUCEDIÓ CUANDO yo era muy chico, cuando
mi tía Matilde y tío Gustavo y tío Armando, hermanos
solteros de mi padre, y él mismo, vivían aún. Ahora
están todos muertos. Es decir, prefiero suponer que están todos muertos, porque resulta más fácil, y ya es
demasiado tarde para atormentarse con preguntas que
seguramente no se hicieron en el momento oportuno.
No se hicieron porque los acontecimientos parecieron
paralizar a los hermanos, dejándolos como ateridos de
horror. Luego comenzaron a construir un muro de ol-
vido o indiferencia que lo cubriera todo para poder
enmuceder sin necesidad de martirizarse haciendo conjeturas impotentes. Bien puede no haber sido así,
puede que mi imaginación y mi recuerdo me traicio-
nen. Después de todo yo no era más que un niño entonces, al que no tenían por qué participar las angustias de las pesquisas, si las hubo, ni el resultado de sus
conversaciones.

¿Qué pensar? A veces oía a los hermanos hablar
quedamente, lentamente, como era su costumbre, encerrados en la biblioteca, pero la maciza puerta tami-
zaba el significado de las palabras, permitiéndome escuchar sólo el contrapunto grave y pausado de sus voces. ¿Qué decían? Yo deseaba que allí dentro estuvi-
ran hablando de lo que era importante de verdad
que, abandonando el respetuoso frío con que se trataban, abrieran sus angustias y sus dudas haciéndolas
sangrar. Pero tenía tan poca fe en que así fuera, que
mientras rondaba junto a los altos muros del vestíbulo cerca de la puerta de la biblioteca, se grabó en mi

mente la certeza de que habían elegido olvidar, reuniéndose sólo para discutir, como siempre, los pleitos del estudio jurídico que les pertenecía, especializado en derecho marítimo. Ahora pienso que quizá tuvieran razón en desear borrarlo todo, porque ¿para qué vivir con el terror inútil de verse obligado a aceptar que las calles de una ciudad pueden tragarse a un ser humano, anularlo, dejándolo sin vida y sin muerte, suspendido en una dimensión más inciertamente peligrosa que cualquiera dimensión con nombre?

Y sin embargo...

Un día, meses después de los acontecimientos, sorprendí a mi padre mirando la calle desde el balcón de la sala del segundo piso. El cielo estaba estrecho, denso, y el aire húmedo agobiaba las grandes hojas lacias de los ailantos. Me acerqué a mi padre, ávido de una respuesta que contuviera una mínima aclaración:

—¿Qué hace aquí, papá? —susurré.

Al responder, algo se cerró súbitamente sobre la desesperación de su rostro, como el golpe de un postigo que se cierra sobre una escena vergonzosa.

—¿No ves? Estoy fumando... —replicó.

Y encendió un cigarrillo.

No era verdad. Yo sabía por qué acechaba calle arriba y calle abajo, con sus ojos ensombrecidos, llevándose de vez en cuando la mano a su suave patilla castaña: era con la esperanza de ver que reaparecía, que regresaba como si tal cosa debajo de los árboles de la acera, con la perra blanca trotando a sus talones. ¿Hubiera esperado así de tener cualquier certeza?

Poco a poco me fui dando cuenta de que no sólo mi padre, sino que todos los hermanos, como escondiéndose unos de los otros y sin confesarse ni a sí mismos lo que hacían, rondaban las ventanas de la casa, y si alguien llegaba a mirar desde la acera de enfrente, quizá divisara la sombra de cualquiera de ellos apostada junto a una cortina o rostros envejecidos por el sufrimiento atisbando desde atrás de los cristales.

2

Ayer pasé frente a la casa donde entonces vivíamos. Hacía años que no andaba por allí. En aquel tiempo la calle era adoquinada con quebracho y bajo los ailantos copudos transitaba de vez en cuando un tranvía estrepitoso de fierros sueltos. Ahora ya no existen ni adoquines de madera, ni tranvías, ni árboles en las aceras. Pero nuestra casa está en pie aún, angosta y vertical como un librito apretado entre los gruesos volúmenes de los edificios nuevos, con tiendas en la planta baja y un burdo cartel recomendando camisetas de punto que cubre los dos balcones del segundo piso.

Cuando vivíamos allí casi todas las casas eran altas y delgadas como la nuestra. La cuadra estaba siempre alegre con los juegos de los niños en los manchones de sol de la acera, y con los chismes de las sirvientas de hogares prósperos al regresar de sus compras. Pero nuestra casa no era alegre. Lo digo así, «no era alegre», en vez de «era triste», porque es exactamente lo que quiero decir. La palabra «triste» no sería justa porque tiene connotaciones demasiado definidas, peso y dimensiones propias. Y lo que sucedía en nuestra casa era justamente lo contrario: una ausencia, una falta que por ser desconocida era irremediable, algo que ni pesaba, pesaba por no existir.

Cuando murió mi madre, antes que yo cumpliera cuatro años, se estimó necesaria la presencia de una mujer junto a mí para que me protegiera con sus cuidados. Como tía Matilde era la única mujer de la familia y vivía con mis tíos Gustavo y Armando, los tres solterones vinieron a vivir en nuestra casa, que era amplia y vacía.

Tía Matilde desempeñó sus funciones junto a mí con ese esmero característico de cuanto hacía. Yo no dudaba de que me quisiera, pero jamás logré sentir ese cariño como una experiencia palpable que nos unía. Había algo rígido en sus afectos, igual que en los hombres de la familia, y el amor existía confinado dentro de cada individualidad, sin saltar límites para expresarse y unir. Para ellos, expresar sus afectos era desempeñar perfectamente sus funciones unos respecto a los otros, y, sobre todo, no incomodar, jamás incomodar. Tal vez expresar cariño de otra manera les fuera innecesario ya, puesto que tenían tanta historia juntos, tanto pasado en común dentro del cual quizá fuera expresado hasta el hartazgo, y todo ese posible pasado de ternura se hallaba ahora estilizado bajo la forma de acciones certeras, símbolos útiles que no requerían mayor elucidación. Quedaba sólo el respeto como contacto entre los cuatro hermanos silenciosos y aislados que recorrían los pasillos de aquella honda casa que, a semejanza de un libro, sólo mostraba la angosta franja de su lomo a la calle.

Yo, naturalmente, no tenía historia en común con tía Matilde. ¿Cómo podía tenerla si no era más que un niño que comprendía sólo a medias los adustos motivos de los mayores? Deseaba ardientemente que ese cariño confinado se rebasara, expresándose de otro modo, con un arrebato, por ejemplo, o con una tontería. Pero ella no podía adivinar este deseo mío porque su atención no estaba enfocada sobre mí, yo era una persona periférica a su vida, tangente a lo sumo, nunca central. Y no era central porque su centro entero estaba colmado por mi padre y por mis tíos Gustavo y Armando. Tía Matilde nació única mujer —mujer fea, además— en una familia de varones apuestos, y al darse cuenta de que su matrimonio era poco probable, se consagró a velar por la comodidad de esos hombres, a llevarles la casa, a cuidarles la ropa, a encargar para ellos sus platos favoritos. Desempeñaba estas funciones sin el menor servilismo, orgullosa de su papel porque no dudaba de la excelencia y dignidad de sus hermanos. Además, como todas las mujeres, poseía en grado sumo esa fe tan oscura en que el bienestar físico es, si no lo principal, ciertamente lo primero, y que no tener hambre ni frío ni incomodidad es la base para cualquier bien de otro orden. No es que sufriera con las fallas en este sentido, sino que, más bien, la impacientaban, y al ver miseria o debilidad en torno suyo tomaba medidas inmediatas para remediar lo que, sin duda, eran errores en un mundo que debía, que tenía que ser perfecto. En otro plano era intolerancia por camisas que no estuvieran planchadas estupendamente, por carne que no fuera de primerísima calidad, por la humedad que debido a un descuido se introducía en la caja de los habanos. Aquí residía el vigor indiscutido de tía Matilde, alimentando por medio de él las raíces de la grandeza de sus hermanos, y aceptando que ellos la protegieran porque eran hombres, más sabios y más fuertes que ella.

Después de comida, siguiendo lo que sin duda era una liturgia antiquísima en la familia, tía Matilde subía al piso de los dormitorios y en el cuarto de cada uno de sus hermanos alistaba las camas, apartando los cobertores con sus manos huesudas. Ponía un chal a los pies de la cama de tal, que era friolento; colocaba un almohadón de plumas a la cabecera de cual, que leía antes de dormirse. Luego, dejando los veladores encendidos junto a los vastos lechos, bajaba a la sala de billar a reunirse con los hombres, para tomar café y jugar unas cuantas carambolas antes que, como conjurados por ella, se retiraran a llenar las efigies vacías de los pijamas dispuestos sobre las blancas sábanas entreabiertas.

Pero tía Matilde jamás abría mi cama. Al subir a

mi cuarto yo llevaba el corazón detenido con la esperanza de encontrar mi cama abierta con la reconocible pericia de sus manos, pero siempre tuve que conformarme con el estilo tanto menos puro de la sirvienta encargada de hacerlo. Nunca me concedió esa marca de importancia, porque yo no era su hermano. Y no ser «uno de mis hermanos» le parecía una desdicha de la que eran víctimas muchas personas, casi todas en realidad, incluso yo, que al fin y al cabo no era más que hijo de uno de ellos.

A veces tía Matilde me mandaba a llamar a su cuarto, y cosiendo junto a la alta ventana se dirigía a mí sin jamás preguntarme nada, dando por hecho que todos mis sentimientos, gustos y reflexiones eran producto de lo que ella decía, segura de que nada podía entorpecerme para recibir íntegras sus palabras. Yo la escuchaba atento. Me ponderaba el privilegio que era haber nacido de uno de sus hermanos, pudiendo así vivir en contacto con todos ellos. Me hablaba de la probidad absoluta de sus sagaces actuaciones como abogados en los más intrincados pleitos marítimos, comunicándome su entusiasmo por su prosperidad y distinción, que sin duda yo prolongaría. Me explicaba el embargo de un cargamento de bronce, cierta avería por colisión con un insignificante remolcador, los efectos desastrosos de la sobreestadía de un barco de bandera exótica. Esto, para ella, era la vida, esto y los problemas de la casa. Pero al hablarme de los barcos, sus palabras no enunciaban la magia de esos roncos pitazos navegantes que yo solía oír a lo lejos en las noches de verano cuando, desvelado por el calor, subía hasta el desván, y asomándome por una lucarna contemplaba las lejanas luces que flotaban, y esos bloques de tinieblas de la ciudad yacente a la que carecía de acceso porque mi vida era, y siempre iba a ser, perfectamente ordenada. Tía Matilde no me insinuaba esa magia porque la desconocía, no tenía

lugar en su vida, como no podía tener lugar en l
vida de gente que estaba destinada a morir digna-
mente para después instalarse con toda comodidad en
el cielo, un cielo idéntico a nuestra casa. Mudo, yo la
escuchaba hablar, con la vista prendida a la hebra de
hilo claro que al ser alzada contra su blusa negra parecía captar toda la luz de la ventana. Yo poseía una
melancólica sensación de imposibilidad frente a esos
pitazos navegantes en la noche, y a esa ciudad oscura
y estrellada tan semejante al cielo al que ella no con-
cedía misterio alguno. Pero me regocijaba ante el mundo de seguridad que sus palabras trazaban para mí,
ese magnífico camino recto que desembocaba en una
muerte no temida, igual a esta vida, sin nada fortuito
ni inesperado. Porque la muerte no era terrible. Era
el corte final, limpio y definitivo, nada más. El in-
fierno existía, claro, pero no para nosotros sino que
para castigar a los demás habitantes de la ciudad, o a
los anónimos marineros que ocasionaban las averías
que, al terminar los pleitos, llenaban las arcas fami-
liares.

Tía Matilde era tan ajena a la idea de amenaza de
lo inesperado, a toda idea de temor, que, porque creo
que el temor y el amor van tan unidos, me acomete
la tentación de pensar que en aquella época no quería
a nadie. Pero tal vez me equivoque. A su manera, ais-
lada y rígida, es posible que a sus hermanos la ligara
una suerte de amor. En la noche, después de la cena,
se reunían en la sala de billar para tomar café y jugar
unos partidos. Yos los acompañaba. Allí, frente a ese
círculo de amores confinados que no me incluía en su
ruedo, sufría percibiendo que los hilos de sus afectos
ya ni siquiera intentaban atarse. Es curioso que mi
imaginación, al recordar la casa, no me permita más
que grises, sombras, matices; pero evocando esa hora,
sobre el verde estridente del tapete, el rojo y blanco
de las bochas y el cubito de tiza azul vuelven a infla-

marse en mi memoria, iluminados por la lámpara baja
cuya pantalla desterraba todo el resto de la habitación a la penumbra. Siguiendo una de las tantas formas rituales de la familia, la voz lisa de tía Matilde iba
rescatando por turnos a cada uno de sus hermanos
de la oscuridad, para que hicieran sus jugadas:

—Ahora tú, Gustavo...

Y al inclinarse sobre el verde de la mesa, taco en
mano, se iluminaba el rostro de tío Gustavo, frágil
como un papel, cuya nobleza era extrañamente con-
tradicha por sus ojos demasiado pequeños y juntos.
Terminando de jugar regresaba a la sombra, donde
aspiraba un habano cuyo humo se desprendía flojo
hasta disolverse en la oscuridad del techo. Su hermana decía entonces:

—Bueno, Armando...

Y el rostro fofo y tímido de tío Armando, con sus
grandes ojos celestes opacados por las gafas de marco de oro, bajaba a la luz. Su jugada era generalmente mala, porque era «el niño», como a veces lo llamaba tía Matilde. Después de los comentarios suscita-
dos por su juego, se refugiaba detrás del diario y tía
Matilde decía:

—Pedro, tu turno...

Yo retenía la respiración al verlo inclinarse para
jugar, la retenía viéndolo sucumbir ante el mandato
de su hermana, y con el corazón hecho un nudo roga-
ba que se rebelara contra los órdenes preestablecidos.
Naturalmente, yo no podía darme cuenta de que ese
orden rígido era en sí una forma de rebelión inven-
tada por ellos contra lo caótico, para que no los tocara la mano terrible de lo que no se puede explicar
ni solucionar. Mi padre, entonces, se inclinaba sobre
el paño verde, midiendo con su mirada suave las distancias y posiciones de las bolas. Hacía su jugada y
al hacerla resoplaba de manera que sus bigotes y su
patilla se agitaban un poco alrededor de la boca en-

treabierta. Luego me entregaba su taco para que lo tizara con el cubo de tiza azul. Así, con este mínimo papel que me asignaba, me hacía tocar, por lo menos en la periferia, el círculo que lo unía a sus hermanos, sin hacerme participar más que tangencialmente en él.

Después jugaba tía Matilde. Era la mejor jugadora. Al ver que su rostro tosco, construido como con los defectos de los rostros de sus hermanos, descendía desde la sombra, yo sabía que iba a ganar, que tenía que ganar. Y, sin embargo..., ¿no he visto un destello de alegría en sus ojos diminutos en medio de ese rostro irregular como un puño brutalmente apretado, cuando por casualidad alguno de ellos lograba vencerla? Esa gota de alegría era porque, aunque lo deseara, nunca se hubiera permitido dejarlos ganar. Eso sería introducir el misterioso elemento del amor en un juego que no debía incluirlo, porque el cariño debe permanecer en su sitio, sin rebasarse para deformar la realidad exacta de una carambola.

3

Jamás me gustaron los perros. Tal vez alguno me haya asustado siendo yo muy niño, no lo recuerdo, pero siempre me han desagradado. En todo caso, por aquella época mi desagrado por esos animales era inútil, ya que en casa no había perros, y como yo salía poco, se presentaban escasas ocasiones para que me incomodaran. Para mis tíos y mis padres, los perros, como todo el reino animal, no existían. Las vacas, claro, suministraban la crema que enriquecía el postre dominguero servido sobre una bandeja de plata; eran los pájaros los que al crepúsculo piaban agradablemente en la copa del olmo, único habitante del pequeño jardín al que la casa daba la espalda. Pero el reino animal existía sólo en la medida en que contribuyera al regalo de sus personas. Para qué decir, entonces, que los perros, haraganes como son los perros de la ciudad, ni siquiera les rozaban la imaginación con una posibilidad de existencia.

Es cierto que a veces, regresando de misa los domingos, algún perro solía cruzarse en nuestro camino, pero era fácil no concederle existencia. Tía Matilde, que siempre iba adelante conmigo, sencillamente no elegía verlo, y unos pasos más atrás, mi padre y mis tíos iban preocupados con problemas demasiado importantes para fijarse en algo tan banal como un perro callejero.

A veces tía Matilde y yo íbamos a misa temprano para comulgar. Rara vez lograba concentrarme al recibir el sacramento, porque generalmente la idea de que ella me vigilaba sin mirar ocupaba el primer plano de mi conciencia. Aunque sus ojos estuvieran dirigidos al altar o su frente humillada ante el Santísimo, cualquier movimiento mío llamaba su atención, tanto que, al salir de la iglesia, me decía con disimulado reproche que sin duda fue una pulga atrapada en los bancos lo que me impidió concentrarme en meditar que la muerte es el buen fin previsto, y en rogar que no fuera dolorosa, que para eso servían misas, rezos y comuniones.

Fue una de esas mañanas.

Una llovizna minuciosa amenazaba transformarse en temporal, y los adoquines de quebracho extendían sus nítidos abanicos brillosos de acera a acera, tarjados por los rieles del tranvía. Como tenía frío y deseaba estar pronto de vuelta en casa, apresuré el paso bajo el hongo enlutado del paraguas sostenido por tía Matilde. Pasaban pocas personas porque era temprano. Un señor muy moreno nos saludó sin levantar el sombrero, a causa de la lluvia. Mi tía, entonces, acaparó mi atención, reiterándome su desprecio por la gente de raza mixta, pero de pronto, cerca de donde caminábamos, un tranvía que no oí venir frenó brutalmente haciéndola suspender su monólogo. El conductor se asomó por la ventanilla:

—¡Perro imbécil! —vociferó.

Nos detuvimos para mirar.

Una pequeña perra blanca escapó casi de entre las ruedas del tranvía, y rengueando penosamente, con la cola entre las piernas, fue a refugiarse en el umbral de una puerta. El tranvía volvió a partir.

—Estos perros, es el colmo que los dejen andar así... —protestó tía Matilde.

Al seguir nuestro camino pasamos junto a la perra acurrucada en el rincón del umbral. Era pequeña y blanca, con las patas demasiado cortas para su porte y un feo hocico puntiagudo que pregonaba toda una genealogía de mesalianzas callejeras, resumen de razas impares que durante generaciones habían recorrido la ciudad buscando alimento en los tarros de basura y entre los desperdicios del puerto. Estaba empapada, débil, tiritando de frío o de fiebre. Al pasar frente a ella percibí una cosa extraña: mi tía miró a la perra y los ojos de la perra se cruzaron con su mirada. No vi la expresión de los ojos de mi tía. Sólo vi que la perra la miró, haciendo suya esa mirada, contuviera lo que contuviere, sólo porque se fijaba en ella.

Seguimos hacia casa. Unos pasos más allá, cuando yo estaba a punto de olvidar a la perra, mi tía me sorprendió al darse vuelta bruscamente y exclamar:

—¡Pssst! ¡Andate!

Se había vuelto con una certeza tan absoluta de encontrarla siguiéndonos, que vibré con la pregunta muda que surgió de mi sorpresa: «¿Cómo lo supo?» No podía haberla oído puesto que la distancia a que nos seguía era apreciable. Pero no lo dudó. ¿Tal vez esa mirada que se cruzó entre ellas, de la que yo sólo pude ver lo mecánico —la cabeza de la perra alzada apenas hacia tía Matilde, la cabeza de tía Matilde entornada apenas hacia ella—, contuvo algún compromiso secreto, alguna promesa de lealtad que yo no percibí? No lo sé. En todo caso, al darse vuelta para echar a la perra, su «pssst» corto y definitivo era la voz de algo como un deseo impotente de alejar un destino que ya se ha tenido que aceptar. Es probable que diga todo esto a la luz de hechos posteriores, que mi imaginación adorne de significado lo que no fue más que trivial. Sin embargo, puedo asegurar que en ese momento sentí extrañeza, temor casi, ante la repentina pérdida de dignidad de mi tía al condescender a volverse, otorgándole rango a una perra enferma y sucia que nos seguía por razones que no podían tener importancia.

Llegamos a casa. Subimos las gradas y el animal

se quedó abajo, mirándonos desde la lluvia torrencial recién desencadenada. Entramos, y el delectable proceso del desayuno posterior a la comunión logró borrar de mi mente a la perra blanca. Jamás sentí tan protectora nuestra casa como aquella mañana, nunca fue tan grande mi regocijo por la seguridad con que esas viejas paredes deslindaban mi mundo.

¿Qué hice el resto de esa mañana? No lo recuerdo, pero supongo que haría lo de siempre: leer revistas, hacer tareas, vagar por la escalera, bajar hasta la cocina para preguntar qué había de almuerzo ese domingo.

En uno de mis vagabundeos por las estancias vacías —mis tíos se levantaban tarde los domingos de lluvia, excusándose de ir a la iglesia—, alcé la cortina de una ventana para ver si la lluvia prometía amainar. El temporal seguía. Y parada al pie de las gradas, tiritando aún y escudriñando la casa, volví a ver a la perra blanca. Dejé caer la cortina para no verla allí, empapada y como presa de una fascinación. De pronto, detrás de mí, del ámbito oscuro de la sala, surgió la voz queda de tía Matilde, que, inclinada para atracar un fósforo a la leña ya dispuesta en la chimenea, me preguntaba:

—¿Está ahí todavía?

—¿Quién?

Yo sabía quién.

—La perra blanca...

Respondí que allí estaba. Pero mi voz fue insegura al formar las sílabas, como si de alguna manera la pregunta de mi tía derribara los muros que nos cobijaban, permitiendo que la lluvia y el viento inclemente se instalaran dentro de nuestra casa.

4

Debe de haber sido el último temporal de ese invierno, porque recuerdo claramente que los días siguientes se abrieron y que las noches comenzaron a entibiarse.

La perra blanca continuó apostada en nuestra puerta, siempre temerosa, escudriñando las ventanas como si buscara a alguien. En la mañana, al partir al colegio, yo trataba de espantarla para que se fuera, pero no bien me trepaba al autobús la veía reaparecer tímidamente por la esquina o desde atrás de un farol. Las sirvientas también trataron de alejarla, pero sus tentativas fueron tan infructuosas como las mías, porque la perra nunca dejaba de regresar, como si permanecer cerca de nuestra casa fuera una tentación que, aunque peligrosa, tenía que obedecer.

Una noche estábamos todos despidiéndonos al pie de la escalera antes de irnos a dormir. Tío Gustavo, que siempre se encargaba de hacerlo, ya había apagado todas las luces, menos la de la escalera, dejando el gran espacio del vestíbulo poblado por las densidades de los muebles. Tía Matilde, que recomendaba a tío Armando que abriera la ventana de su cuarto para que entrara un poco de aire, de pronto enmudeció, dejando sus despedidas inconclusas y los movimientos de todos nosotros, que comenzábamos a subir, detenidos.

—¿Qué pasa? —preguntó mi padre bajando un escalón.

—Suban —murmuró tía Matilde, dándose vuelta para mirar la penumbra del vestíbulo.

Pero no subimos.

El silencio de la sala, generalmente tan espacioso, se colmó con la voz secreta de cada objeto —un grano de tierra escurriéndose entre el viejo papel y el muro, maderas crujientes, el trepidar de algún cristal suelto— y esos escasos segundos se inundaron de resonancias. Alguien, además de nosotros, estaba donde estábamos nosotros. Una pequeña forma blanca venció la penumbra junto a la puerta de servicio. Era la perra, que atravesó el vestíbulo rengueando lentamente en dirección a tía Matilde, y sin mirarla siquiera se echó a sus pies.

Fue como si la inmovilidad de la perra hubiera vuelto a hacer posible el movimiento de los que contemplábamos la escena. Mi padre bajó dos escalones, tío Gustavo encendió la luz, tío Armando subió pesadamente y se encerró en su dormitorio.

—¿Qué es esto? —preguntó mi padre.

Tía Matilde permanecía inmóvil.

—¿Cómo entraría? —se preguntó de pronto.

Sus palabras parecían apreciar la proeza que significaba haber saltado tapias en ese estado lamentable, o haberse introducido en el sótano por un vidrio roto, o haber burlado la vigilancia de las sirvientas para deslizarse por una puerta casualmente abierta.

—Matilde, llama para que se la lleven —dijo mi padre, y subió seguido por tío Gustavo.

Quedamos ella y yo mirando la perra.

—Está inmunda —dijo en voz baja—. Y tiene fiebre. Mira, está herida...

Llamó a una sirvienta para que se la llevara, ordenándole que le diera de comer y que al otro día llamara a un veterinario.

—¿Se va a quedar en la casa? —pregunté.

—¿Cómo va a andar así por la calle? —murmuró tía Matilde—. Tiene que sanar para poder echarla. Y tiene que sanar pronto, porque no quiero tener animales en la casa.

Luego agregó:

—Sube a acostarte.

Ella siguió a la sirvienta que se llevaba a la perra.

Reconocí esa antigua urgencia de tía Matilde porque todo anduviera bien en torno suyo, ese vigor y pericia que la hacían reina indudable de las cosas inmediatas, encontrándose tan segura dentro de sus limitaciones, que para ella lo único necesario era solucionar desperfectos, errores no de intención o motivo, sino de estado. La perra blanca, por lo tanto, iba a sanar. Ella misma, porque el animal había entrado en el radio de su poder, se encargaría de ello. El veterinario le vendaría la pata herida bajo su propia vigilancia, y protegida por guantes de goma y por un paño, ella misma se encargaría de lavarle las pústulas con desinfectantes que la harían gemir. Pero tía Matilde permanecería sorda a esos gemidos, segura, tremendamente segura, de que cuanto hacía era para bien.

Así fue.

La perra se quedó en la casa. No es que yo la viera, pero conocía el equilibrio de personas que la habitaban, de manera que la presencia de cualquier extraño, aunque permaneciera en los confines del sótano, podía establecer un desnivel en lo acostumbrado. Algo, algo me acusaba su existencia bajo el mismo techo que yo. Quizás ese algo no fuera tan imponderable. A veces veía a tía Matilde con los guantes de goma en la mano, llevando un frasco lleno de líquido rojo. Encontré un plato con piltrafas en un pasillo del sótano, donde fui a contemplar la bicicleta que acababan de regalarme. Débilmente, amortiguado por pisos y muros, a veces llegaba hasta mis oídos la sospecha de un ladrido.

Una tarde bajé a la cocina, y la perra blanca entró, manchada como un payaso con el desinfectante rojo. Las sirvientas la echaron sin miramientos. Pero vi que no rengueaba ya, que su cola, antes lacia, se enroscaba como una pluma dejando a la vista su trasero desvergonzado.

Esa tarde le pregunté a tía Matilde:

—¿Cuándo la va a echar?

—¿A quién? —preguntó ella.

Lo sabía perfectamente.

—A la perra blanca.

—Todavía no está bien —respondió.

Más tarde pensé insistir, diciéndole que aunque la perra no estuviera sana del todo, seguramente ya nada le impediría encaramarse en los tarros para husmear la basura en busca de comida. No lo hice porque creo que fue esa misma noche cuando tía Matilde, después de perder la primera partida de billar, decidió que no tenía ganas de jugar otra. Sus hermanos siguieron jugando, y ella, sumida en el enorme sofá de cuero, les iba indicando sus turnos. De pronto se equivocó en el orden de los nombres. Hubo un momento de desconcierto, pero el hilo del orden fue retomado prontamente por esos hombres que rechazaban la casualidad si no les era favorable. Pero yo ya había visto.

Era como si tía Matilde no estuviera allí. Respiraba a mi lado como siempre. La honda alfombra silenciadora cedía como de costumbre bajo sus pies. Sus manos cruzadas tranquilamente —tal vez aún más tranquilamente que otras noches— pesaban sobre su falda. ¿Cómo es posible que se sienta con tanta certeza la ausencia de un ser cuando su corazón está en otra parte? Sólo su corazón estaba ausente, pero la voz con que iba llamando a sus hermanos arrastraba significaciones desusadas porque nacía en otro lugar.

Las noches siguientes fueron iguales, enturbiadas por ese borrón casi invisible de su ausencia. Dejó por completo de tomar parte en el juego y de llamarlos por sus nombres. Ellos parecieron no notarlo. Pero quizás lo notaran, porque los partidos se hicieron más cortos, y noté que la deferencia con que la trataban aumentó infinitesimalmente.

Una noche, cuando salíamos del comedor, la perra hizo su aparición en el vestíbulo y se unió al grupo familiar. Ellos, como de costumbre, aguardaron en la puerta de la biblioteca para que su hermana los precediera hasta la sala de billar, esta vez seguida airosamente por la perra blanca. No hicieron comentario alguno, como si no la hubieran visto, iniciando su partido como todas las noches.

La perra se sentó a los pies de tía Matilde, muy quieta, sus ojos vivísimos recorriendo la sala y siguiendo las maniobras de los jugadores, como si todo aquello la entretuviera muchísimo. Ahora estaba gorda y tenía la pelambre brillosa, todo su cuerpo, desde el palpitante hociquillo hasta la cola lista para agitarse, repleto de una vital capacidad de diversión. ¿Cuánto tiempo había permanecido en casa? ¿Un mes? Tal vez más. Pero en ese mes tía Matilde la había obligado a sanar, cuidándola sin despliegues de ternura, pero con la gran sabiduría de sus manos huesudas empeñada en componer lo descompuesto. Le había curado las llagas, implacable ante su dolor y sus gemidos. Su pata estaba sana. La había desinfectado, alimentado, bañado, y ahora la perra blanca era un ser entero.

Todo esto, sin embargo, no parecía unirla a la perra. Quizás la aceptara como esa noche mis tíos también aceptaron su presencia: rechazarla hubiera sido darle una importancia que para ellos no podía tener. Yo veía a tía Matilde tranquila, recogida, colmada de un elemento nuevo que no llegaba a desbordarse para tocar su objeto, y ahora éramos seis los seres separados por algo más vasto que trechos de alfombra y de aire.

En una de sus jugadas, tío Armando, que era torpe, tiró al suelo el cubito de tiza azul. Inmediatamente, obedeciendo a un resorte que la unía a su picaresco pasado callejero, la perra corrió hasta la tiza y,

223

arrebatándosela a tío Armando, que se había inclinado para recogerla, la tomó en el hocico. Entonces sucedió algo sorprendente. Tía Matilde, como si de pronto se deshiciera, estalló en una carcajada incontenible que la agitó entera durante unos segundos. Quedamos helados. Al oírla, la perra abandonó la tiza, corrió hacia ella con la cola agitada en alto, y saltó sobre su falda. La risa de tía Matilde se aplacó, pero tío Armando, vejado, abandonó la sala para no presenciar ese desmoronamiento del orden mediante la intrusión de lo absurdo. Tío Gustavo y mi padre prosiguieron el juego; ahora era más importante que nunca no ver, no ver nada, no comentar, no darse por aludido de los acontecimientos, y así quizás detener algo que avanzaba.

Yo no encontré divertida la carcajada de tía Matilde. Era demasiado evidente que algo oscuro la había suscitado. La perra se aquietó sobre su falda. Los chasquidos de las bolas al golpearse, precisos y espaciados, parecieron conducir la mano de tía Matilde primero desde su lugar en el sofá hasta su falda, y luego hasta el lomo de la perra adormecida. Al ver esa mano inexpresiva reposando allí, observé también que la tensión que jamás antes había percibido como tal en las facciones de mi tía —nunca sospeché que pudiera ser otra cosa que dignidad— se había disuelto, y que una gran paz suavizaba su rostro. No pude resistirlo. Obedeciendo a algo más poderoso que mi voluntad me acerqué a ella sobre el sofá. Esperé que me llamara con una mirada o que me incluyera mediante una sonrisa, pero no lo hizo porque la nueva relación entablada era demasiado exclusiva, y en ella no había lugar para mí. Eran sólo dos los seres unidos. Aunque no lo deseaba, yo quedaba afuera. Y los demás, los hermanos, permanecían aislados porque desoyeron la peligrosa invitación que tía Matilde se atrevió a escuchar.

5

Cuando yo llegaba del colegio por la tarde, iba directamente a la planta baja, y montando mi bicicleta nueva daba vuelta tras vuelta por el estrecho jardín del fondo de la casa, centrado en torno al olmo y al par de escaños de fierro. Detrás de la tapia, los nogales de la otra casa comenzaban a mostrar un leve esbozo primaveral, pero yo no hacía caso de las estaciones y sus dádivas porque tenía cosas demasiado graves en que pensar. Y como sabía que nadie bajaba al jardín hasta que el ahogo de pleno verano lo hiciera perentorio, era el mejor sitio para meditar sobre lo que en casa sucedía.

Superficialmente se hubiera dicho que nada sucedía. ¿Pero cómo permanecer tranquilo frente a la curiosa relación anudada entre mi tía y la perra blanca? Era como si tía Matilde, después de servir esmeradamente y conformarse con su vida impar, por fin hubiera hallado a su igual, a alguien que hablaba su lenguaje más inconfesado, y como entre damas, llevaban una vida íntima llena de amabilidades y refinamientos gratos. Comían bombones que venían en cajas atadas con frívolos cintajos. Mi tía disponía naranjas, piñas, uvas en las empinadas fruteras de cristal, y la perra la observaba como si criticara su buen gusto o fuera a darle su opinión. Era como si hubiera descubierto una región más benigna de la vida en este compartir de agrados, tanto que ahora todo había perdido importancia para ella frente a este nuevo mundo afectuoso.

Era frecuente que pasando junto a la puerta de su habitación yo escuchara una carcajada similar a la

que había echado por tierra el viejo orden de su vida
aquella noche, o que la oyera dialogar —no monolo-
gaba como conmigo— con una interlocutora cuya voz
yo no oía. Era la vida nueva. La perra, la culpable,
dormía en una cesta en su cuarto, una cesta primo-
rosa, femenina, absurda a mi parecer, y la seguía a
todas partes, menos al comedor. La entrada allí le estaba vedada, pero esperando la salida de su amiga, la
seguía hasta la biblioteca o el billar, según donde nos
instaláramos, y se sentaba a su lado o en su falda,
cruzando, de tanto en tanto, cómplices miradas de
entendimiento. Yo sentía que la perra era la más fuerte de las dos, la que mostraba y enseñaba cosas des-
nocidas a tía Matilde, que se había entregado por completo a su experiencia.

  ¿Cómo era posible?, me preguntaba yo. ¿Por qué
tuvo que esperar hasta ahora para lograr rebasarse por
fin y entablar un diálogo por primera vez en su vida?
A veces la veía insegura respecto a la perra, como temerosa de que así como un buen día llegó, también
partiera, dejándola sola, con todo este nuevo caudal
pesándole en las manos. ¿O temía aún por su salud?
Era demasiado extraño. Estas ideas flotaban como
borrones supendidos en mi imaginación, mientras oía
crujir la gravilla del sendero bajo las ruedas de mi
bicicleta. Lo que no era borroso, en cambio, era mi
vehemente deseo de enfermedar de gravedad, para ver
si así lograba yo también cosechar una relación parecida. Porque la enfermedad de la perra había sido la
causa de todo. Sin eso mi tía jamás se hubiera ligado
con ella. Pero yo tenía una salud de fierro, y además
era claro que el corazón de tía Matilde no daba cabida
más que para un solo amor a la vez, sobre todo si era
tan inmenso.

  Mi padre y mis tíos no parecieron notar cambio alguno. La perra era silenciosa, y abandonando sus modales de callejera, pareció adquirir las maneras un

226

tanto dignas de tía Matilde, conservando, sin embargo, todo su empaque de hembra a la cual las durezas de la vida no han podido ensombrecer ni su buen humor ni su inclinación por la aventura. Para ellos resultaba más fácil aceptarla que rechazarla, ya que lo último hubiera comprometido por lo menos sus comentarios, y tal vez hasta una revisión incómoda de sus cánones de seguridad.

Una noche, cuando el jarro de limonada ya había hecho su aparición sobre la consola de la biblioteca, refrescando ese rincón de la penumbra, y las ventanas quedaban abiertas al aire, mi padre se detuvo bruscamente al entrar en la sala de billar.

—¿Qué es esto? —exclamó mirando el suelo.

Consternados, los tres hombres se pararon a mirar una pequeña charca redonda en el piso encerado.

—¡Matilde! —llamó tío Gustavo.

Ella se acercó a mirar y enrojeció de vergüenza. La perra se había refugiado bajo la mesa del billar en la habitación contigua. Al dirigirse a la mesa, mi padre la vio allí, y cambiando bruscamente de rumbo salió de la sala seguido por sus hermanos, dirigiéndose a los dormitorios, donde cada uno se encerró mudo y solo.

Tía Matilde no dijo nada. Subió a su cuarto seguida de la perra. Yo permanecí en la biblioteca con un vaso de limonada en la mano, mirando el cielo del verano, y escuchando, escuchando ansiosamente algún pitazo lejano de un barco, y el rumor de la ciudad desconocida, terrible y también deseada, que se extendía bajo las estrellas.

Pronto oí bajar a tía Matilde, que apareció con el sombrero puesto y con las llaves tintineando en la mano.

—Anda a acostarte —dijo—. Voy a llevarla a pasear a la calle para que haga sus necesidades.

Luego agregó algo que me hizo temblar:

—Está tan linda la noche...

Y salió.

De esa noche en adelante, en vez de subir después
de comida para abrir las camas de sus hermanos, iba
a su pieza, se encasquetaba el sombrero y volvía a bajar, haciendo tintinear las llaves. Salía con la perra,
sin decirle nada a nadie. Y mis tíos y mi padre y yo
nos quedábamos en el billar, y más avanzada la estación, sentados en los escaños del jardín, con todo el
rumor del olmo y la claridad del cielo pesando sobre
nosotros. Jamás se habló de estos paseos nocturnos de
tía Matilde, jamás mostraron de manera alguna que
se daban cuenta de que algo importante había cambiado en la casa al introducirse allí un elemento que
contradecía todo orden.

Al principio tía Matilde permanecía afuera a lo
sumo veinte minutos o media hora, regresando pronto
para tomar cualquier cosa con nosotros y cambiar algunos comentarios triviales. Más tarde, sus salidas se
fueron prolongando inexplicablemente. Ya no era una
dama que sacaba a pasear a su perra por razones de
higiene; allá afuera, en las calles, en la ciudad, había
algo poderoso que la arrastraba. Esperándola, mi padre miraba furtivo su reloj de bolsillo, y si el atraso era
muy grande, tío Gustavo subía a la sala del segundo
piso, como si hubiera olvidado algo allí, para mirar
por el balcón. Pero permanecían mudos. Una vez que
el paseo de tía Matilde se prolongó demasiado, mi padre caminó una y otra vez por el sendero que serpen-
teaba entre los macizos de hortensias, abiertas como
ojos azules vigilando la noche. Tío Gustavo tiró un
habano que no logró encender a su gusto, y luego otro,
aplastándolo con el taco de su zapato. Tío Armando
volcó una taza de café. Yo los miraba esperando que
por fin estallaran, que dijeran algo, que llenaran con
angustia expresada esos minutos que se prolongaban
y se prolongaban unos detrás de otros sin la presencia

de tía Matilde. Eran las doce y media cuando llegó.

—¿Para qué me esperaron en pie? —preguntó sonriente.

Traía el sombrero en la mano, y su cabello, de ordinario tan cuidado, estaba revuelto. Observé que un ribete de barro manchaba sus zapatos perfectos.

—¿Qué te pasó? —preguntó tío Armando.

—Nada —fue su respuesta, y con ella clausuró para siempre todo posible derecho de sus hermanos para inmiscuirse en esas horas desconocidas, alegres o trágicas o anodinas, que ahora eran su vida.

Digo que eran su vida porque durante esos instantes que permaneció con nosotros antes de subir a su cuarto, con la perra también embarrada junto a ella, percibí una animación en sus ojos, una alegre inquietud parecida a la de los ojos del animal, como recién bañados en escenas nunca antes vistas, a las que nosotros carecíamos de acceso. Esas dos eran compañeras. La noche las protegía. Pertenecían a los rumores, a los pitazos de los barcos que atravesando muelles, calles oscuras o iluminadas, casas, fábricas y parques, llegaban a mis oídos.

Sus paseos con la perra continuaron durante algún tiempo. Ahora nos despedíamos inmediatamente después de la comida, y cada uno se iba a encerrar en su cuarto, mi padre, tío Gustavo, tío Armando y yo. Pero ninguno se dormía hasta oírla llegar, tarde, a veces terriblemente tarde, cuando la luz del alba ya clareaba la copa de nuestro olmo. Sólo después de oírla cerrar la puerta de su dormitorio cesaban los pasos con que mi padre medía su habitación, o se cerraba por fin la ventana del cuarto de uno de sus hermanos para excluir ese fragmento de noche que ya no era peligrosa.

Una vez la oí subir muy tarde, y como me pareció oírla cantar una melodía suavemente y con gran dulzura, entreabrí mi puerta y me asomé. Al verla pasar frente a mi cuarto, con la perra blanca envuelta en sus brazos, su rostro me pareció sorprendentemente joven y perfecto, aunque estuviera algo sucio, y vi que había un jirón en su falda. Esa mujer era capaz de todo; tenía la vida entera por delante. Me acosté aterrorizado pensando que era el fin.

Y no me equivoqué. Porque una noche, muy poco tiempo después, tía Matilde salió a pasear con la perra después de comida y no volvió más.

Esperamos en pie toda la noche, cada uno en su cuarto, y no regresó. Al día siguiente nadie dijo nada. Pero continuaron las esperas mudas, y todos rondábamos en silencio, sin parecer hacerlo, las ventanas de la casa, aguardándola. Desde ese primer día el temor hizo derrumbarse la dignidad armoniosa de los rostros de los tres hermanos, y envejecieron mucho en poco tiempo.

—Su tía se fue de viaje —me respondió la cocinera cuando por fin me atreví a preguntarle.

Pero yo sabía que no era verdad.

La vida en casa continuó tal como si tía Matilde viviera aún con nosotros. Es cierto que ellos solían reunirse en la biblioteca, y quizás encerrados allí hablaran, logrando sobrepasar el muro de temor que los aislaba, dando rienda suelta a sus temores y a sus dudas. Pero no estoy seguro. Varias veces vino un visitante que claramente no era de nuestro mundo, y se encerraron con él. Pero no creo que les haya traído noticias de las posibles pesquisas, quizás no fuera más que el jefe de un sindicato de estibadores que venía a reclamar indemnización por algún accidente. La puerta de la biblioteca era demasiado maciza, demasiado pesada, y jamás supe si tía Matilde, arrastrada por la perra blanca, se perdió en la ciudad, o en la muerte, o en una región más misteriosa que ambas.

EL HOMBRECITO

Para Inés Figueroa.

DESDE MI PRIMERA infancia vi que en mi casa el asunto de los «hombrecitos» era problema serio. ¿Quién iba a encerar? ¿Quién se haría cargo de revisar las tejuelas de alerce y de darles una mano de aceite antes del invierno? ¿Quién lavaría los vidrios, limpiaría la chimenea, repararía el gallinero derribado a medias por el último ventarrón? La respuesta era invariable: el «hombrecito».

Pero resultaba que los «hombrecitos» pertenecían a una raza elusiva, escasa, terriblemente imperfecta, de manera que las crisis eran tan frecuentes como premiosas. Mi madre, desesperándose más y más a medida que iba viendo acumularse tanta cosa urgente que hacer, acudía a mi padre para que la ayudara a solucionar sus problemas de «hombrecito». Pero él, sin levantar la vista de su texto de medicina, murmuraba:

—¿Por qué no le dices a la María Salinas o a la Fanny que te presten sus «hombrecitos»? A ellas nunca les faltan...

—Tú vives en la Luna... —murmuraba mi madre.

Amurrada con el reproche entrevisto, subía a encerrarse en su cuarto, mientras mi padre, que la oyera apenas, se enfrascaba de nuevo en su tomo. Para su mujer todo el que no sufriera de lleno la angustia de los problemas domésticos vivía fuera de lo que llamaba «la realidad», es decir, en la Luna.

Mi hermano menor y yo compartíamos la misma habitación. En la noche, apagadas todas las luces, abríamos de par en par las persianas para asomar la cabeza entre la yedra que las enmarcaba. En el silencio de la noche veraniega y despejada se oía el chorro de la manguera con que alguien refrescaba el césped. O divisábamos a la «China», nuestra enorme perra overa, husmeando entre las flores desteñidas por la noche clara. Mi hermano decía distinguir en el rostro campechano de la luna llena color limón, encaramada allá encima del techo de la casa de enfrente, las facciones de nuestro padre. Yo, en cambio, aguardaba que hendiendo el aire del jardín se elevara como un brujo bonachón hacia el satélite benigno, donde, según mi madre, existía un hogar para todos los que no comprendieran cabalmente que la escasez de «hombrecitos» era una auténtica hecatombe doméstica.

Los «hombrecitos» rara vez duraban mucho en casa. Algunos parecían perfectos al comienzo, pero al descubrirse sin tardanza que no eran precisamente ejemplos de honradez ni de actividad, se les anunciaba que sus servicios ya no eran necesarios. Otros, los menos avisados, cometían la torpeza de enemistarse con la María Vallejos, nuestra vieja dictadora de la cocina, que entonces les servía tan menguado puchero y de tan mal modo, que por resolución propia no regresaban. Pero el mayor número de «hombrecitos» se perdía porque sí, en busca qué sé yo de qué imprecisos horizontes o libertades, reapareciendo por casa muy de tarde en tarde en busca de trabajo.

Muchísimos «hombrecitos» vinieron, trabajaron para nosotros intermitentemente y desaparecieron. Cucho, por ejemplo, con su ojo borroneado por una nube celeste. Y Ambrosio, que fuera sacristán y conservaba algo de untuoso y blanquecino. Y Juan el Tonto, apodado así para distinguirlo de otro del mismo nombre.

Pero más que a todos recuerdo a Juan Vizcarra, príncipe y modelo entre «hombrecitos», que tuvo el más largo aunque interrumpido reinado en nuestra casa.

Una tarde mi madre llegó radiante de satisfacción. Lanzó su sombrero en cualquier sitio, y después de alisarse brevemente la melena frente al espejo grande de la entrada y de contemplar de reojo el volumen misterioso que su silueta iba tomando, besó a mi padre, que leía junto a la chimenea. Se sentó a su lado. Él la observó por el rabillo del ojo, adivinando que su mujer por fin había resuelto alguno de sus trágicos problemas domésticos. Dijo vagamente:

—Vienes contenta...

Yo tenía siete años. Pero como sabía que a mi madre le gustaba que le sonsacaran sus preocupaciones con ruegos y añuñúes, no me sorprendió oírle decir:

—Mm, sí, más o menos...

Mi padre siguió sumergido en la lectura, dejando pasar el tiempo hasta que su mujer ya no fuera capaz de contener su impaciencia por contarlo todo. Como de costumbre, la mirada de mi madre recorría la sala en busca de algo que corregir, de alguna cosa que poner en orden. De pronto se fijó en mí. Recostado junto a la «China», cuyo vientre, igual que el de mi madre, se inflara tan prodigiosamente en los últimos meses, me entretenía en cortar ilustraciones de revistas viejas. Mis calcetines y zapatos estaban manchados con barro porque, eludiendo toda vigilancia, me había pasado la tarde lluviosa jugando solo en el jardín.

—¿Por qué estás tan sucio?

Como si tal cosa, seguí recortando ilustraciones.

—¿Por qué estás tan sucio? ¿No he dicho que no te dejen salir al jardín cuando está lloviendo? ¡Apenas salgo, la casa anda patas arriba! ¡Yo no sé en qué piensan! ¡Todos viven en la Luna! Mira a tu papá, ¿crees que con la nariz metida en su libro se da cuenta de la realidad de las cosas?

Parpadeaba lista para llorar. Mi padre se sacó los

235

anteojos y poniéndolos en la página que leía cerró el libro sobre ellos. Pasó un brazo en torno a su mujer y la atrajo hacia sí. Ella se resistió al comienzo, pero fue cediendo y quedaron muy próximos, hablando en voz baja. Mi padre escuchaba embelesado:

—...y por fin conseguí que la Teresa Barriga me prestara un «hombrecito» que tiene, pero vieras que me costó convencerla. Eso sí que es un chiquillo no más, pero de lo más bueno y trabajador dicen. Mañana va a venir a trabajar aquí...

Siguieron conversando, ahora de cosas que no comprendí. Yo ya no existía para ellos. La «China» roncaba hecha un ovillo desmesurado frente a la chimenea. Sin que nadie lo notara, reuní mis papeles y subí a mi cuarto en puntillas.

Juan Vizcarra hizo su aparición al día siguiente. Por aquel tiempo era un muchachote lozano y muy moreno, de unos diecisiete años, diez más que yo. Tenía las piernas más bien cortas, el cuello grueso y el tronco potente y carnoso. Su rostro despejado se abría de pronto en una sonrisa tan amplia que parecía comprometer a su persona entera.

Cuando llegué del kindergarten esa tarde, lo divisé parado en la canaleta del alero más elevado. Con admirable malicia y precisión iba silbando una tonadilla. Daba grandes zancadas seguras, como quien camina por tierra firme.

—Se va a caer —dije a la empleada que traía mi bolsón.

Juan se volvió, equilibrado como por arte de magia.

—¡Hola, chiquillo! —exclamó desde lo alto.

Viendo que acompañaba sus palabras con un ademán de baile, me acerqué a la empleada y repetí en voz un poco más débil:

—Se va a caer...

Juan bajó la escala no como todos, sino colgado de las manos de tramo en tramo, como un acróbata.

Al llegar a tierra se inclinó en una reverencia circense tan expresiva que me hizo reír. La empleada me tomó de la mano y me metió a la casa porque el té ya estaba listo. Ella y las otras empleadas comenzaron a cloquear en torno mío sirviéndomelo, pero yo no era hoy el centro de sus atenciones: por sus comentarios comprendí que Juan Vizcarra las tenía fascinadas. La María Vallejos, oscura como una cucaracha, odiaba a la gente morena. Como para ella la mayor virtud del mundo, fuera de ser devoto de San Antonio de Padua, era tener la tez clara y el cabello rubio, me extrañó oírle decir a sus compañeras:

—Juan Vizcarra es negro te diré, niña, pero simpático, de lo más simpático y trabajador...

Este entusiasmo era insólito, porque las tres mujeres que nos servían miraban con bastante recelo a los «hombrecitos». Tanto, que éstos rara vez almorzaban con ellas en la cocina: su ración les era servida en los confines de la casa, detrás del frambuesal, en una especie de mediagua que llamábamos el lavadero. Además, las empleadas mantenían estrictísima vigilancia sobre los «hombrecitos» para delatar la más mínima infracción a la honradez o al celo en el trabajo. Pero por el almuerzo de Juan Vizcarra no temí: sin duda comería con ellas, obteniendo las presas más suculentas de la cazuela y tal vez un vaso del buen vino de mi padre.

Juan Vizcarra continuó viniendo a casa regularmente. Mi madre, a pesar de su parto inminente, tenía holgura para regocijarse de la existencia de tan perfecto «hombrecito».

A nosotros nos contaron que el hermano que mi abuelita nos enviara desde París se hallaba pronto a llegar. Pero a través de ciertas conversaciones adivinamos en la gordura superlativa de mi madre alguna misteriosa relación con la llegada del niño. Lo curioso era que otro tanto sucedía a la «China», aunque jamás oímos decir que el envío de la abuela incluyera perritos. La relación era muy confusa.

Por la noche, en el dormitorio, nuestras conjeturas se trizaban de incertidumbre. Apagada la luz, el silencio pesaba como nunca. Lentamente, la respiración acompasada de mi hermano se desprendía del silencio, y de la oscuridad, la ola blanca de su sábana y su almohada.

—Oye —murmuró de pronto.

—¿Qué?

—Mañana nos van a mandar a la casa de la tía Teresa.

—¿Y por qué?

—Porque mañana llega el hermanito.

Callamos. Pronto oí sollozos apagados.

—¿Qué te pasa?

—Nada...

—Cállate entonces...

—Es que la «China» se estaba quejando y la María Vallejos dijo que se iba a morir. Y está gorda de las mismas partes que mi mamá...

—No seas tonto.

Al otro día nos enviaron temprano donde la tía Teresa Barriga, en la cuadra siguiente. Pero inmediatamente después del té, que esperamos porque siempre había pan de huevo, papayas confitadas y queques, huimos a casa. Juan Vizcarra nos abrió la reja.

—Se van a enojar con ustedes —nos advirtió—. El hermanito está naciendo.

No sabíamos qué hacer, qué preguntar. Aguardábamos las palabras o los hechos con que Juan Vizcarra seguramente aclararía el misterio que los grandes nos velaban. Él era el único en que se podía confiar.

—Vengan, los voy a esconder para que no los castiguen.

Nos tomó de la mano y nos condujo al lavadero.

238

En lo más oscuro, la «China» yacía en un jergón. No se levantó meneando la cola como de costumbre, sino que, apoyando la cabezota en las patas, nos miró.

—¿Se va a morir? —preguntó mi hermano. Sus labios temblaban, todavía rodeados de migajas de queque.

Juan replicó que no. A punto de llorar pregunté si mi mamá se iba a morir. Juan rió diciendo que claro que no, que estaba muy bien.

—¿Y, entonces, por qué está enferma la «China»?

—Acérquense —murmuró—. Miren...

Los tres nos arrodillamos junto al jergón. Dos ovillos ciegos salpicados de blanco y negro se hallaban prendidos a las tetas de la perra. La «China» movió la cola débilmente. Después dejó de hacerlo y Juan Vizcarra se puso serio.

Conteniendo la respiración y sin parpadear, contemplamos las maniobras de nuestro «hombrecito» para ayudar al nacimiento del último perro. Yo poseía unas vagas nociones maliciosas, de modo que casi reí al ver lo que Juan estaba haciendo, pero un quejido muy delgado de la «China» me forzó a clavar la atención sobresaltada en lo que sucedía. El perro nació empapado, envuelto en una substancia café. Después de limpiarlo, su madre lo empujó una y otra vez con la punta de la nariz, con una pata, pero el perro no se movió: estaba inerte, como un trapo. Mi hermano comenzó a lloriquear por lo bajo. Las lágrimas acudieron a mis ojos. Las contuve sólo porque yo era un año mayor. Juan contemplaba el perro con el ceño fruncido:

—Chit..., no llores, si va a vivir... —murmuró sin levantar la vista.

Y comenzó a pulsar las patas débiles, a presionar lentamente, rítmicamente el cuerpo del animalito entre sus grandes dedos colorados y sucios. Siguió haciéndolo durante lo que me pareció una eternidad, la cara transpirada, los ojos serios, la atención fija. El silencio había devorado la casa entera. El mundo se redujo al compás de las manos de Juan.

De pronto, bajo una de las presiones, la vida brotó en el cuerpo inerte. El cachorro se movió presa de un estremecimiento. Juan continuó presionando hasta que el ritmo de la vida se estableció seguro, y entonces colocó el perro junto a una teta de la «China».

—Ya... —masculló Juan.

Se relajó su tensión y al verlo sonreír se relajó también la nuestra. Sacó un pañuelo sucio y se enjugó la frente y las manos.

—Este es mío —dije, tocando apenas al recién nacido con un dedo.

—Y éste es mío —dijo mi hermano.

Luego todas nuestras preguntas reprimidas se desataron sobre Juan Vizcarra. Respondió con tan transparente sencillez que nos dejó satisfechos por completo. Más tarde nos condujeron donde mi madre, fresca en su lecho, con un crío colorado y gritón a su lado.

—Miren —exclamó— el regalo que la abuelita les manda de París...

—¿De París?

Mi hermano iba a ofrecer lo recién descubierto para hacer frente al engaño, pero le di un codazo y calló. ¿Para qué decir nada? Los grandes nos escatimaban esa realidad tanto más mágica que las triviales leyendas urdidas por sus cortas imaginaciones. ¿Para qué hablar? Además, los grandes eran tan tontos que podían despedir a Juan...

Pero no lo despidieron. Durante muchos años Juan Vizcarra continuó siendo el «hombrecito» oficial de la casa. Todos lo adoraban y nosotros más que nadie: cuanto sus manazas romas tocaban adquiría vida, o se arreglaba como por ensalmo. No había cosa que no supiera hacer con admirable destreza, desde caponizar un pollo hasta arreglar de una vez y para siempre ese famoso despertador de la María Vallejos, su más preciada posesión y que hasta ahora pasara gran parte del tiempo donde el relojero. Juan Vizcarra a menudo venía a almorzar en casa los domingos y nos llevaba de excursión al cerro. Nos enseñó a hacer volantines y a encumbrarlos, nos enseñó a rastrear arañas y escarabajos y a tomarlos sin repugnancia, de manera que llegamos a poseer los insectarios más envidiados del colegio. Y Juan Vizcarra continuaba viniendo a casa por lo menos una vez a la semana para encerar, arreglar persianas, limpiar el gallinero, poner en orden los baúles del altillo.

Ignorábamos por completo cómo era la vida de nuestro «hombrecito» fuera de la casa. A veces se lo preguntábamos, pero generalmente se escabullía con alguna broma.

—Si este Juan no fuera tan orgulloso, se podría hacer algo por él —decía mi madre, porque ahora que éramos mayores, su pasatiempo favorito era hacer «algo» por la gente.

—Este cochino debe tener una mujer y una pila de huachos por ahí —opinaba la María Vallejos.

—¡Qué saben ustedes lo que le pasa a uno…! —murmuraba Juan, el rostro nublado un segundo. Pero pronto volvía a silbar su cancioncilla y a reír.

Era como si no tuviera casa ni familia ni amigos, tal como si su existencia comenzara en el momento en que entraba silbando a nuestro jardín, sin tocar el timbre, anunciado por las carreras y ladridos jubilosos de los perros. Le regalamos toda nuestra ropa usada, trajes, camisas, zapatos, y hubo un tiempo en que Juan Vizcarra fue espejo de «hombrecitos» en punto a elegancia. Pero más tarde ya no se ponía la ropa que le regalábamos y andaba bastante desastrado.

—¡Qué saben ustedes lo que le pasa a uno…!
Fue por esa época que Juan Vizcarra comenzó a ausentarse, al principio por períodos de dos o tres

semanas. La primera vez dijo haber estado enfermo, y tras hurgarlo mucho y decirle que su salud era perfecta, mi padre le dio remedios porque en realidad no tenía buen semblante. Pero luego fue ofreciendo excusas más débiles. Más tarde ya no se le preguntaba y los nervios de mi madre —que estuviera tan segura que las crisis de «hombrecito» eran cosas del pasado— comenzaron a descomponerse de nuevo.

A medida que mi hermano y yo fuimos creciendo, las desapariciones de Juan Vizcarra se hicieron más frecuentes y más y más largas. Ya no nos tuteaba: nos decía «don». ¿Dónde diablos se metía? ¿Con quién se podía averiguar algo? Eran las preguntas que de continuo nos hacíamos, y que mi padre alguna vez planteó seriamente al propio Juan, encerrados los dos en su escritorio. Al salir, mi padre movió su cabeza, ya bastante calva: nada. Estaba preocupado porque, a pesar de tener poco contacto con Juan, también lo apreciaba. Debimos conformarnos con suplir las ausencias de Juan Vizcarra con las ineficacias de otros «hombrecitos».

—¡Qué saben ustedes lo que le pasa a uno!

En cierta época hacía casi diez meses que Juan Vizcarra no aparecía. Una tarde mi padre llegó desolado contándonos que nuestro «hombrecito» se hallaba en su sala de hospital, la pierna derecha cortada por un tranvía. Quedamos consternados. Pero cuando mi padre continuó diciendo que el estado de Juan era especialmente grave debido a su prolongada ebriedad, se hizo la luz para nosotros.

¡Juan Vizcarra era borracho!

¿Quién hubiera creído que ésa era la causa de sus ausencias? Era tan niño en sus cosas, tan despabilado y fresco, que costaba aceptar la realidad. Pero ahí estaba. ¿Qué hizo con tanta cosa que se le regalara? Claro, venderlas para emborracharse, y desaparecía para que nadie advirtiera su secreto.

Fui a visitarlo al hospital. Al ver esa cara hinchada que era sólo un remedo confuso de sus facciones de antes, y toda la alegría de sus ojos enrojecida, me costó borrar la máscara que mi imaginación guardaba de un Juan inmutable y siempre lozano, como aquella vez que lo vi bajando la escala colgado de los tramos. Sus brazos estaban débiles, sus manos gruesas inertes sobre la sábana. ¡Era casi un viejo y tenía apenas diez años más que yo! ¿Qué misteriosa falla en el mundo miserable que sin duda era el suyo lo había llevado a esto?

—¡Qué saben ustedes lo que le pasa a uno!

La María Vallejos lloró mucho. Se levantaba de mal humor, con parches de papa en las sienes, culpándonos de todo a nosotros, los ricos, según era su costumbre cuando algo sucedía. Vestirse para ir a ver a Juan al hospital era una ceremonia tan larga y compleja para nuestra vieja cocinera, que ese día no podíamos contar con almuerzo. Mi madre llevó ropa al enfermo, dinero y uva, mientras que mi padre lo atendía con especial interés. Se restableció relativamente pronto y entre las familias para quienes trabajaba se hizo una colecta con el fin de comprarle una pierna ortopédica. Pero Juan Vizcarra ya nunca sería el «hombrecito» de antes.

Después de varias semanas, Juan Vizcarra volvió a nuestra casa, alegre, diestro, avecindado de firme en el lavadero, detrás del frambuesal. Pero su buen humor duró poco: al cabo de un tiempo se tornó gruñón y flojo. No salía de la casa ni siquiera los sábados y domingos. Yo solía verlo, muy bien aviado con la ropita dominguera que logró comprar con sus ahorros de esa época, sentado al sol, mudo, con las manos cruzadas y con la vista fija en el aire. Juan Vizcarra ya no silbaba cancioncilla alguna y casi no respondía cuando le hablábamos.

—¡Qué saben ustedes lo que le pasa a uno!

—¿Se han fijado lo bien que está Juan Vizcarra? —exclamaba mi madre—. Es porque ya no toma. ¿Vieron la ropa nueva que compró? ¿Y lo poco que se le nota la cojera? Yo quiero que ahora compre una radio a plazos. Con lo que gana tiene de sobra. Al fin y al cabo algún gusto se tiene que dar el pobre hombre...

Pero Juan no compró radio. Un buen día, después de trabajar con menos entusiasmo que nunca, tomó su atado de ropa y partió sin despedirse de nadie. Desde la ventana de mi cuarto lo vi salir: iba con el ansia escrita en el rostro, pero después de tanto tiempo silbaba alegremente. Nadie llegó a comprender la causa de su descontento ni el porqué de su partida.

La tierra pareció tragárselo. Juan —otro Juan, al que llamábamos el Tonto— era un «hombrecillo» de la casa ahora. Pero la María Vallejos no perdía ocasión para decirle:

—¡Si hasta cojo y borracho Juan Vizcarra era mejor que tú!

Al cabo de diez meses una anciana increíblemente andrajosa y decrépita, con un anacrónico manto sobre la cabeza, pidió con voz casi oculta por la humildad hablar con alguien de la familia. Era una tía de Juan Vizcarra. Explicó que su sobrino había ingresado tiempo atrás y por voluntad propia a un sanatorio que hacía tratamiento para alcohólicos. Pero un mes después que lo dieron de alta había vendido su pierna ortopédica para volver a emborracharse.

Se le envió dinero para que comprara una pata de palo. Ésta, por lo menos, sería más difícil de vender. Y Juan, con su pata de palo, volvió a hacer su aparición por nuestra casa. Ya no estaba triste, sino muy alegre, casi como al principio, aunque ahora se le exigía poco trabajo.

—¡Borracho asqueroso! —le gritaba la María Vallejos. Pero la comida de Juan Vizcarra era servida

244

con especial abundancia y esmero.

Dormía en casa. Junto a su colchón en el lavadero se veían por el suelo sus pertenencias: un cancionero viejo, algunos paquetes de los cigarrillos que fumaba, un cenicero de cobre que él mismo hiciera, quién sabe cómo. Nada más. Salía a trabajar donde las familias que aún lo solicitaban, y entregaba todo su dinero a la María Vallejos para que se lo guardara hasta el sábado. Ese día la vieja se lo entregaba y el bueno de Juan era despedido por las recomendaciones de la cocinera el sábado a las doce. Se quedaba afuera ese día, domingo y lunes. Regresaba el martes por la mañana, silbando, habitualmente algo contuso, pero sobrio y fresco.

Hasta que volvió a perderse. Esta vez para siempre. Su tía volvió a visitarnos, diciendo que Juan había vendido la pata de palo. Se le mandó recado que volviera.

Pero Juan Vizcarra no volvió nunca más.

A veces, al ver un juguete destrozado en las manos de su primera nieta, mi madre suele exclamar:

—¡Que Juan lo componga...!

Y al oírse, el silencio cae sobre su cabeza encanecida.

Las empleadas nunca han vuelto a soportar que un «hombrecito» trabaje en casa más de un par de veces: sus defectos son descubiertos sin demora y se les despide. La crisis de «hombrecito» es perpetua. Mi hermano y yo recordamos a Juan Vizcarra con cierta frecuencia, pero no, quizás no muy frecuentemente. Tenemos mucho que hacer y la casa con sus recuerdos ahora no es más que un puerto, un trozo bastante pequeño de nuestras vidas.

Una tarde iba yo apresurado por una calle en un barrio miserable. Al pasar frente a la puerta de una cantina di limosna a un pordiosero increíblemente harapiento. Muchas cuadras más allá me di cuenta de que aquel mendigo que me mirara con insistencia, pero sin hablarme, era Juan Vizcarra. ¡Era un anciano, y Juan Vizcarra era sólo diez años mayor que yo! Volví de carrera a la cantina, pero el mendigo ya no estaba allí... ¡Juan era tan orgulloso! Pero después de todo quizás no fuera Juan, quizás fuera sólo imaginación mía creer que ese limosnero cojo tumbado en un charco de suciedad a la puerta de una cantina era Juan Vizcarra.

A veces pienso que lo buscaré. No puedo olvidar la cancioncilla maliciosa que silbaba al entrar a casa en la mañana, ni la destreza con que esos dedos colorados y romos hicieron brotar la vida ante mis maravillados ojos de niño. Pienso buscarlo..., no sé para qué. Pero los años pasan. Ahora sólo muy de tarde en tarde llego a preguntarme:

«¿Qué será de Juan Vizcarra?»

«CHINA»

POR UN LADO el muro gris de la Universidad. Enfrente, la agitación maloliente de las cocinerías alterna con la tranquilidad de las tiendas de libros de segunda mano y con el bullicio de los establecimientos donde hombres sudorosos horman y planchan, entre estallidos de vapor. Más allá, hacia el fin de la primera cuadra, las casas retroceden y la acera se ensancha. Al caer la noche, es la parte más agitada de la calle. Todo un mundo se arremolina en torno a los puestos de fruta. Las naranjas de tez áspera y las verdes manzanas pulidas y duras como el esmalte, cambian de color bajo los letreros de neón, rojos y azules. Abismos de oscuridad o de luz caen entre los rostros que se aglomeran alrededor del charlatán vociferante, engalanado con una serpiente viva. En invierno, raídas bufandas escarlatas embozan los rostros, revelando sólo el brillo torvo o confiado, perspicaz o bovino, que en los ojos señala a cada ser distinto. Uno que otro tranvía avanza por la angosta calzada, agitando todo con su estruendosa senectud mecánica. En un balcón de segundo piso aparece una mujer gruesa envuelta en un batón listado. Sopla sobre un brasero, y las chispas vuelan como la cola de un cometa. Por unos instantes, el rostro de la mujer es claro y caliente y absorto.

Como todas las calles, ésta también es pública. Para mí, sin embargo, no siempre lo fue. Por largos años mantuve el convencimiento de que yo era el único ser extraño que tenía derecho a aventurarse entre las luces y sus sombras.

Cuando pequeño, vivía yo en una calle cercana, pero de muy distinto sello. Allí los tilos, los faroles dobles, de forma caprichosa, la calzada poco concurrida y las fachadas serias hablaban de un mundo enteramente distinto. Una tarde, sin embargo, acompañé a mi madre a la otra calle. Se trataba de encontrar unos cubiertos. Sospechábamos que una empleada los había sustraído, para llevarlos luego a cierta casa de empeños allí situada. Era invierno y había llovido. Al fondo de las bocacalles se divisaban restos de luz acuosa, y sobre unos techos cerníanse aun las nubes en vagos manchones parduscos. La calzada estaba húmeda, y las cabelleras de las mujeres se apegaban, lacias, a sus mejillas. Oscurecía.

Al entrar por la calle, un tranvía vino sobre nosotros con estrépito. Busqué refugio cerca de mi madre, junto a una vitrina llena de hojas de música. En una de ellas, dentro de un óvalo, una muchachita rubia sonreía. Le pedí a mi madre que me comprara esa hoja, pero no prestó atención y seguimos camino. Yo llevaba los ojos muy abiertos. Hubiera querido no solamente mirar todos los rostros que pasaban junto a mí, sino tocarlos, olerlos, tan maravillosamente distintos me parecían. Muchas personas llevaban paquetes, bolsas, canastos y toda suerte de objetos seductores y misteriosos. En la aglomeración, un obrero cargado de un colchón desarregló el sombrero de mi madre. Ella rió, diciendo:

—¡Por Dios, esto es como en la China!

Seguimos calle abajo. Era difícil eludir los charcos en la acera resquebrajada. Al pasar frente a una cocinería, descubrí que su olor mezclado al olor del impermeable de mi madre era grato. Se me antojaba poseer cuanto mostraban las vitrinas. Ella se horrorizaba, pues decía que todo era ordinario o de segunda mano. Cientos de floreros de vidrio empavonado, con medallones de banderas y flores. Alcancías de yeso en forma de gato, pintadas de magenta y plata. Frascos llenos de bolitas multicolores. Sartas de tarjetas postales y trompos. Pero sobre todo me sedujo una tienda tranquila y limpia, sobre cuya puerta se leía en un cartel «Zurcidor Japonés».

No recuerdo lo que sucedió con el asunto de los cubiertos. Pero el hecho es que esta calle quedó marcada en mi memoria como algo fascinante, distinto. Era la libertad, la aventura. Lejos de ella, mi vida se desarrollaba simple en el orden de sus horas. El «Zurcidor Japonés», por mucho que yo deseara, jamás remendaría mis ropas. Lo harían pequeñas monjitas almidonadas de ágiles dedos. En casa, por las tardes, me desesperaba pensando en «China», nombre con que bauticé esa calle. Existía, claro está, otra China. La de las ilustraciones de los cuentos de Calleja, la de las aventuras de Pinocho. Pero ahora esa China no era importante.

Un domingo por la mañana tuve un disgusto con mi madre. A manera de venganza fui al escritorio y estudié largamente un plano de la ciudad que colgaba de la muralla. Después del almuerzo mis padres habían salido, y las empleadas tomaban el sol primaveral en el último patio. Propuse a Fernando, mi hermano menor:

—¿Vamos a «China»?

Sus ojos brillaron. Creyó que íbamos a jugar, como tantas veces, a hacer viajes en la escalera de tijera tendida bajo el naranjo, o quizás a disfrazarnos de orientales.

—Como salieron —dijo—, podemos robarnos cosas del cajón de mamá.

—No, tonto —susurré—, esta vez vamos a *ir* a «China».

Fernando vestía mameluco azulino y sandalias blancas. Lo tomé cuidadosamente de la mano y nos dirigimos a la calle con que yo soñaba. Caminamos al sol. Íbamos a «China», había que mostrarle el mundo, pero sobre todo era necesario cuidar de los niños pequeños. A medida que nos acercamos, mi corazón latió más aprisa. Reflexionaba que afortunadamente era domingo por la tarde. Había poco tránsito, y no se corría peligro al cruzar de una acera a otra.

Por fin alcanzamos la primera cuadra de mi calle.

—Aquí es —dije, y sentí que mi hermano se apretaba a mi cuerpo.

Lo primero que me extrañó fue no ver letreros luminosos, ni azules, ni rojos, ni verdes. Había imaginado que en esta calle mágica era siempre de noche. Al continuar, observé que todas las tiendas habían cerrado. Ni tranvías amarillos corrían. Una terrible desolación me fue invadiendo. El sol era tibio, tiñendo casas y calles de un suave color de miel. Todo era claro. Circulaba muy poca gente, ésta a paso lento y con las manos vacías, igual que nosotros.

Fernando preguntó:

—¿Y por qué es «China» aquí?

Me sentí perdido. De pronto, no supe cómo contentarlo. Vi decaer mi prestigio ante él, y sin una inmediata ocurrencia genial, mi hermano jamás volvería a creer en mí.

—Vamos al «Zurcidor Japonés» —dije—. Ahí sí que es «China».

Tenía pocas esperanzas de que esto lo convenciera. Pero Fernando, quien comenzaba a leer, sin duda lograría deletrear el gran cartel desteñido que colgaba sobre la tienda. Quizás esto aumentara su fe. Desde la acera de enfrente, deletreó con perfección. Dije entonces:

—Ves, tonto, tú no creías.

—Pero es feo —respondió con un mohín.

Las lágrimas estaban a punto de llenar mis ojos, si no sucedía algo importante, rápida, inmediatamente. ¿Pero qué podía suceder? En la calle casi desierta, hasta las tiendas habían tendido párpados sobre sus vitrinas. Hacía un calor lento y agradable.

—No seas tonto. Atravesemos para que veas —lo animé, más por ganar tiempo que por otra razón. En esos instantes odiaba a mi hermano, pues el fracaso total era cosa de segundos.

Permanecimos detenidos ante la cortina metálica del «Zurcidor Japonés». Como la melena de Lucrecia, la nueva empleada del comedor, la cortina era una dura perfección de ondas. Había una portezuela en ella, y pensé que quizás ésta interesara a mi hermano. Sólo atiné a decirle:

—Mira... —y hacer que la tocara.

Se sintió un ruido en el interior. Atemorizados, nos quitamos de enfrente, observando cómo la portezuela se abría. Salió un hombre pequeño y enjuto, amarillo, de ojos tirantes, que luego echó cerrojo a la puerta. Nos quedamos apretujados junto a un farol, mirándole fijamente el rostro. Pasó a lo largo y nos sonrió. Lo seguimos con la vista hasta que dobló por la calle próxima.

Enmudecimos. Sólo cuando pasó un vendedor de algodón de dulce salimos de nuestro ensueño. Yo, que tenía un peso, y además estaba sintiendo gran afecto hacia mi hermano por haber logrado lucirme ante él, compré dos porciones y le ofrecí la maravillosa sustancia rosada. Ensimismado, me agradeció con la cabeza y volvimos a casa lentamente. Nadie había notado nuestra ausencia. Al llegar Fernando tomó el volumen de «Pinocho en la China» y se puso a deletrear cuidadosamente.

Los años pasaron. «China» fue durante largo tiempo como el forro de color brillante en un abrigo oscuro. Solía volver con la imaginación. Pero poco a poco comencé a olvidar, a sentir temor sin razones, temor de fracasar allí en alguna forma. Más tarde, cuando el Pinocho dejó de interesarme, nuestro profesor de boxeo nos llevaba a un teatro en el interior de la calle: debíamos aprender a golpearnos no sólo con dureza, sino con técnica. Era la edad de los pantalones largos recién estrenados y de los primeros cigarrillos. Pero esta parte de la calle no era «China». Además, «China» estaba casi olvidada. Ahora era mucho más importante consultar en el «Diccionario Enciclopédico» de papá las palabras que en el colegio los grandes murmuraban entre risas.

Más tarde ingresé a la Universidad. Compré gafas de marco oscuro.

En esa época, cuando comprendí que no cuidarse mayormente del largo del cabello era signo de categoría, solía volver a esa calle. Pero ya no era mi calle. Ya no era «China», aunque nada en ella había cambiado. Iba a las tiendas de libros viejos, en busca de volúmenes que prestigiaran mi biblioteca y mi intelecto. No veía caer la tarde sobre los montones de fruta en los kioscos, y las vitrinas, con sus emperifollados maniquíes de cera, bien podían no haber existido. Me interesaban sólo los polvorientos estantes llenos de libros. O la silueta famosa de algún hombre de letras que hurgaba entre ellos, silencioso y privado. «China» había desaparecido. No recuerdo haber mirado ni una sola vez en toda esta época el letrero del «Zurcidor Japonés».

Más tarde salí del país por varios años. Un día, a mi vuelta, pregunté a mi hermano, quien era a la sazón estudiante en la Universidad, dónde se podía adquirir un libro que me interesaba muy particularmente, y que no hallaba en parte alguna. Sonriendo, Fernando me respondió:

—En «China»...

Y yo no comprendí.

SANTELICES

1

—PORQUE USTED COMPRENDERÁ, pues, Santelices, que si dejáramos que todos los pensionistas hicieran lo mismo que usted, nos quedaríamos en la calle. Sí, sí, ya sé lo que me va a decir y le encuentro toda la razón. ¿Cómo cree que le íbamos a negar permiso para clavar unos cuantos, si ha vivido con nosotros tres años y me imagino que ya no se irá más?

Era imposible comprender cómo don Eusebio hablaba tanto si los vencidos músculos de su boca desdentada parecían incapaces de producir otra cosa que débiles borbotones y pucheros. Santelices meditó que si él se dejaba tentar por las facilidades que la Bertita le daba para no usar su plancha de dientes —«Con confiaza, no más, Santelices», le decía, o «Póngase cómodo, que aquí no hay niñas bonitas que pretender»—, su propia boca quedaría como la de don Eusebio en poco tiempo.

—Pero clavar veinticinco es demasiado .

—Veintitrés... —corrigió Santelices, trabándose en su lengua.

—Veinticinco, veintitrés, da lo mismo. Póngase en mi caso. ¿Cómo me dejarían el empapelado de la casa si a todos se les ocurriera clavar veinticinco cuadritos en su pieza? ¿Se da cuenta? Después nadie querría tomar las piezas. Usted sabe cómo es esta gente de fijada en pequeñeces, exigiendo, cuando le apuesto que antes de venir a vivir aquí ni sabían lo que es un excusado de patente...

—Claro, pero no eran ni clavos...

—Clavos, tachuelas, qué sé yo, da lo mismo. Mire

esa pared. Y esa otra. No quiero ni pensar en el boche
que va a armar la Bertita cuando vea. ¿Y cuánto me va
a costar empapelar de nuevo? Calcule. ¡Un platal!
Y con lo sinvergüenzas para cobrar que se han puesto
los empapeladores...

—Pero si el papel estaba malón, ya, pues...

—Hágame el favor de decirme, Santelices. ¿Qué le
entró de repente por clavar todos esos monos tan fea-
zos en la pared? ¿Y de dónde diablos sacó tantos?
Francamente, le diré que lo encuentro un poco raro...,
como cosa de loco. Y usted lo que menos tiene es de
loco, pues, Santelices. El otro día no más comentába-
mos con la Bertita que si todos los pensionistas que
nos llegan fueran como usted, tan tranquilos y orde-
nados para sus cosas, este negocio sería un gusto en
vez del calvario que es...

—Muy agradecido, pero...

—No tiene nada que agradecerme. No digo más
que la purita verdad. Más que un pensionista usted es
un familiar, casi un pariente se podría decir, sobre
todo porque es una persona corriente en su trato, sin
pretensiones, como uno. Y le voy a decir una cosa en
confianza, de hombre a hombre; no lo repita por ahí
después..., mire que la Bertita, usted sabe...

—Cómo se le ocurre, don Eusebio...

El viejo bajó la voz:

—Si los cuadros fueran mujeres en traje de baño, o
de esas con un poquitito de ropa interior de encaje
negro que salen en esos calendarios tan bonitos que
hay ahora, fíjese que yo lo comprendería. Qué quiere
que le diga, lo comprendería. Viejo soy, pero usted
me conoce y sabe que soy harto joven de espíritu, alegre y todo. Y no le diría nada a la Bertita. Pero esto...
si es muy raro, pues, Santelices; no me venga a decir
que no...

—No sé, pero...

—Y mire cómo dejó el empapelado...; mire ese

hoyo…

—Pero, don Eusebio, si yo me pienso quedar con la pieza…

—…y ese otro. La tierra de la pared se está cayendo encima de la sábana que yo mismo le cambié la semana pasada. ¡Mire, por Dios! Antes que a mi pobre hijita le dé un ataque cuando vea, yo mismo voy a llamar a un empapelador para pedirle un presupuesto, y, cueste lo que cueste, usted va a tener que correr con todos los gastos…

Y don Eusebio salió de la habitación, llevándose un puñado de estampas como prueba de la perversidad de su pensionista.

2

Santelices estaba atrasado para la oficina.

Generalmente se ponía los calcetines y las ligas, la camiseta y los calzoncillos sentado encima de la cama. Cuando hacía mucho frío en la mañana se vestía casi entero, sin destaparse, en el calorcito acumulado por las frazadas durante la noche. Faltaban dos minutos para la hora de entrada, que era a las ocho y media. Sentado al borde del catre tiritaba sin saber qué hacer. Las ilustraciones y fotografías clavadas en la pared la noche anterior, que fue arrancando apresuradamente durante la retahila de don Eusebio, se hallaban rajadas, arrugadas, revueltas con los pantalones de su pijama encima de las sábanas, agrias aún con el olor de su cuerpo.

Al subir a su dormitorio, después de la partida de canasta de la noche anterior, supo que entonces lo iba a hacer. La intención de hacerlo se venía acumulando dentro de él desde tiempo atrás, porque al pasar frente a una ferretería la semana pasada había comprado un kilo de tachuelas sin saber para qué. Era demasiado difícil dormirse sintiendo que esos largos ojos amarillos, esas patas acolchadas, esos cuerpos suntuosos en el letargo caldeado de otros climas, estaban prisioneros, planos en el último cajón de su cómoda. Era como si los hubiera oído dar alaridos desde allí y no pudo resistirse, a pesar de que eran cerca de las tres de la mañana.

Porque anoche, como si la Bertita hubiera adivinado que después de retirarse a su dormitorio él tenía intención de hacer algo de lo cual ella quedaba excluida, prolongó la canasta vuelta tras vuelta, hasta una hora increíble. Santelices tenía sueño y protestó que debía ir a trabajar temprano al día siguiente. Más que sueño tenía una avidez por ir allá arriba, a su cuarto, como otras noches, cuando la Bertita se mostraba menos implacable con la hora, para abrir sus álbumes con recortes y fotografías, sus libros, sus carpetas con estampas, sus sobres llenos de ilustraciones, dibujos, datos y artículos. Como la Bertita sabía que la canasta habitual de después de comida con ella, don Eusebio y un muerto, le gustaba a Santelices con locura y que jamás abandonaba el juego si había cartas sobre la mesa, era fácil retenerlo prolongando la partida. No jugaban por dinero. Cada uno tenía una bolsita con porotos —unos porotos grandes, muy blancos, como de porcelana— que hacían las veces de dinero. Los sábados sacaban las cuentas. El que iba perdiendo invitaba a los otros dos al cine, a ver la película que ellos eligieran, y ella volvía a guardar las bolsitas.

Al final de esa noche, Santelices estaba casi dormido. Le pesaban las cartas en la mano y los párpados sobre los ojos, hasta que al final, en la mesa del comedor, de cielo alto, iluminado por una sola ampolleta, lejana, no veía más que una ensalada de piques, tréboles y corazones. A cada vuelta la Bertita lo sacaba de su sopor dándole un codazo.

—Ya, pues, Santelices —le decía—. A usted le toca. La gracia de la canasta es que sea rápida, sobre todo si se juega con un muerto...

—Esta noche parece que fueran dos los muertos —acotó don Eusebio, soltando una carcajada tan enérgica que la plancha de dientes de Santelices se agitó como un pez rosado dentro del vaso en la mesa que trepidaba.

—Ya, papá —mandó la Bertita—. Parece que tuviera ocho años en vez de ochenta. No se ría más.

Al final, Santelices revivió un poco, porque don Eusebio comenzó a inventar reglas nuevas para el juego, que lo favorecían. Al principio las dejó pasar, porque estaba demasiado amodorrado para discutir, y su esperanza era que todo terminara pronto. Pero cuando don Eusebio aseguró descaradamente que en la canasta bien jugada se podía tomar el mazo con carta y comodín antes de bajarse, siempre que la carta fuera un as, la indignación despertó de golpe a Santelices.

—No es cierto —vociferó, agarrando la mano del viejo, estirada ya para apoderarse del mazo.

La Bertita se atragantó con la granadina que estaba tomando.

—¿Insinúa que mi papá está haciendo trampa?

—No se puede, ni se puede, ni se puede —chillaba Santelices—. Cuando yo veraneaba en las termas de Panimávida, conocí a una señora que estuvo en Uruguay...

—¡Cuándo ha veraneado en termas usted! —le gritó el viejo, con la mano todavía prisionera en la de Santelices.

—Deje a mi papá, y, por favor, no sea farsante —le dijo la Bertita—. Usted sabe que no hay nada que me moleste más que la gente mentirosa, ah...

—Y después dice que yo soy el mentiroso —protestó don Eusebio—. Convídame un trago de granadina, hija, mira que esta pelea me dio sed de algo dulce...

—No. Me queda muy poca.

—Te vas a hinchar. Es mucho tomarse media botella en una noche...

—No se puede llevar el mazo —insistió Santelices—. No se puede, ni se puede; a mí no me hacen leso...

—¿Quién lo va a estar haciendo leso por unos cuantos porotos? —dijo don Eusebio.

—¿Y el biógrafo no es nada? Hace cuatro domingos que estoy convidando yo.

—Bah, el biógrafo, el biógrafo...

—Esta canasta es una lata —dijo la Bertita—. Nunca me había aburrido tanto. Bueno, terminemos, me dio sueño. Mayoría de votos. Usted, ¿qué dice, Santelices? ¿Que se puede o que no se puede tomar el mazo con as y comodín antes de bajarse?

—Que no se puede.

—Que no se puede, un voto. Yo voto que se puede. Un voto a favor y uno en contra. ¿Y usted, papá: que se puede o que no se puede?

—Que no se puede —respondió el viejo, distraído porque estaba mirando codiciosamente la botella de granadina.

La Bertita, indignada con la confusión de su padre, que, según ella, la dejó en ridículo, revolvió de un manotazo todas las cartas sobre la mesa y se paró. Partió a dormir sin despedirse, dejando que los hombres ordenaran las cartas para guardarlas. Pero no olvidó llevarse las bolsitas con porotos.

Subiendo la escalera hasta su dormitorio, Santelices iba pensando en que no le quedaban más que escasas cuatro horas de sueño antes de levantarse para ir a la oficina. Por un vidrio roto de la claraboya caía una gota insistente en una palangana. De las piezas del pasadizo oscuro salían los ronquidos de los pensionistas con los que don Eusebio y la Bertita no se mezclaban, concediéndole sólo a él el favor de su intimidad. La forma precisa y helada de la llave en su mano y el minúsculo ruido metálico al meterla en la cerradura lo despertaron un poco. Se puso su pijama. Con el llavero en la mano se dirigió a su cómoda y abrió el último cajón.

Le bastó volcar los sobres en su cama y extender algunas carpetas para que su cuarto se transformara. Nuevos olores, potentes y animales, vencieron los fatigados olores cotidianos. Se crearon ramas inmóviles, listas para temblar después del salto feroz. En lo más hondo de la vegetación, los matorrales crujieron bajo el peso de patas sigilosas y el pasto se agitó con la astucia de los cuerpos que merodeaban. Las efusiones animales dejaron el aire impuro. Y la sombra verde y violeta, y la luz manchada se conmovieron con la peligrosa presencia de la belleza, con la amenaza que acecha desde la gracia y la fuerza.

Santelices sonrió. Esto la Bertita era incapaz de comprenderlo. Ya no importaban ni la hora, ni el sueño, ni la oficina: el tiempo había extendido sus límites en un abrazo generoso. Santelices lo sacó todo. Lo extendió encima de su cama, en el suelo, en la mesa, en la cómoda y en el tocador, y contemplándolas con lentitud y regodeo, buscó su kilo de tachuelas. Su colección era la mayor, la más hermosa del mundo. Aunque jamás la mostró ni habló de ella a nadie, le bastaba esta seguridad íntima para sentirse superior, firme, orgulloso frente a los demás, que jamás llegarían a sospechar lo que él guardaba en el último cajón de su cómoda.

Con su primer sueldo de archivero, hacía muchos años, se dio el lujo de comprar una caja de chocolates adornada con una cinta celeste, en cuya tapa figuraba un mimoso cachorro de la especie doméstica, jugando con un ovillo de lana. Después de comidos los bombones se resistió a botar la caja porque la encontraba muy bonita y la guardó. La tuvo guardada durante muchos años. A veces recordaba esa sonrisa que no era sonrisa, esa insinuación de peligro en la pata juguetona de uñas apenas descubiertas. Entonces sacaba la caja para mirarla. Con el tiempo la fue sacando más a menudo, hasta sentir que no le bastaba, que lo esencial que lo impulsó a guardarla estaba diluido, casi completamente ausente de ella. Una tarde que hojeaba números atrasados de revistas en una librería de viejo, descubrió un reportaje en colores que mostraba no la especie doméstica, sino otras maravillosamente distintas: las que viven en la selva y matan. Se acordó de su caja de bombones, y al enamorarse de lo que veía, la olvidó. Aquí en las fotografías sensacionales que contemplaba con la nuca fría de emoción, la proximidad de la amenaza, la crueldad desnuda, parecían acrecentar la belleza, dotarla de eficacia agobiadora, hacerla hervir, llamear, cegar, hasta dejar sus manos transpiradas y sus párpados temblorosos. Compró golosamente la revista. Desde entonces comenzó a recorrer a menudo las librerías, buscando algo, algo que prolongara esa emoción, que la ampliara, la multiplicara, y compraba todo lo que podía encontrar. A veces se tentaba con libros carísimos, que lo dejaban desbancado durante varios meses. Más de una vez encargó al extranjero monografías en idiomas incomprensibles, pero hojeándolas, acariciándolas, le parecía que adquiría algo, algo más.

A veces pasaban meses que en su vagar por las librerías no lograba encontrar nada. En la penumbra de su pieza, con sólo el globo azul de su velador encendido, miraba las estampas, buscaba su emoción extraviada entre las ilustraciones, que permanecían perversamente inanimadas, reducidas a papel y tinta de imprenta. Algo en él mismo también quedaba inanimado. La avidez de su búsqueda tullía su imaginación, porque el ansia de obtener ese algo justo crecía como una enredadera enceguecedora y paralizante, que no dejaba espacio más que para sí misma.

Fue una de esas tardes cuando la Bertita le dijo:

—Oiga, Santelices, ¿qué le tienen comida la color por ahí que anda tan raro?

Fue como si le hubieran arrebatado lo poco suyo que le quedaba.

En la oficina pretextó una enfermedad y se fue al zoológico. Pasó largo rato junto a las jaulas de las fieras. Las moscas zumbaban alrededor de sus fauces y sus excrementos fétidos. Las colas estaban sucias, las pieles raídas y opacas, las jaulas eran desilusionantemente pequeñas. Cuando los cuidadores les echaron trozos de reses con unas horquetas largas, las fieras se lanzaban sobre las piltrafas sanguinolentas, haciendo crujir los huesos, gruñendo, echando una baba caliente al devorarlas. Santelices huyó. Eso era lo que quería, pero no era eso. Durante el tiempo que siguió a su visita al zoológico, en sus búsquedas por las librerías, ya no se conformaba con las bellas estampas en que las fieras lucían su sonrisa triangular y su paseo sinuoso como una satisfactoria insinuación de la muerte. Sediento, buscaba escenas feroces, donde la actualidad de las fauces humeantes estuviera teñida aún con el ardor de la sangre, o en las que el peso del animal dejara caer toda su brutalidad sobre la víctima espantada. El pecho de Santelices palpitaba junto con la víctima, y para salvarse del pánico pegaba sus ojos al agresor para identificarse con él.

Anoche había dado libertad a los más hermosos, a los príncipes, a sus preferidos. Los clavó sobre la cabecera de su catre, junto al tocador y al ropero de luna, y permaneció largo rato tendido en la cama con la luz velada, más que mirándolos, sintiéndolos adueñarse de su pieza. Se liberaron rumores peligrosos, que podían no ser más que una pata en un charco, una rama quebrada o el repentino erguirse de orejas puntiagudas. Acudieron cuerpos de andar perfecto, guiños de ojos que al oscurecer fulguraban hasta quemar, olores, bocanadas de aire usado en pulmones poderosos, presencias, roces, calor de pieles tendidas sobre la elegancia de músculos precisos, toda una enervante incitación a participar en una vida candente, a exponerse a ser fauce y sangre, víctima y agresor.

Pero Santelices se quedó dormido.

Fue menos de una hora más tarde cuando don Eusebio golpeó a su puerta, entrando sin esperar. Al encender la luz explicó que venía a pedirle el favor —que Santelices, sin duda, concedería, dada la intimidad exclusiva que ellos le brindaban— de que se levantara temparno ese día, porque el calentador de agua de uno de los baños estaba malo y sería conveniente descongestionar lo más posible el otro a la hora en que los pensionistas salían para el trabajo. No alcanzó a terminar su explicación, porque sus ojos se fijaron de pronto, su boca desdentada quedó abierta, y un segundo después del pasmo comenzó la retahila, obligando a Santelices que arrancara todo eso de la pared inmediatamente.

Cuando el viejo salió, Santelices se demoró mucho en vestirse. No le importaba llegar tarde a la oficina ese día: al fin y al cabo, en dieciséis años de trabajo jamás lo había hecho. Mientras bajaba en la punta de los pies, se le revolvió el estómago con la certeza de que la Bertita lo oiría salir. Volvió a su cuarto y se cambió los zapatos por otros de suela de goma, y volvió a bajar, más silenciosamente aún. No había luz en su pieza..., ¿o sí? Se deslizó con la mayor suavidad que pudo frente a su puerta, pero oyó el grito esperado:

—¡Santelices!

Se detuvo con el sombrero en alto sobre su cabeza calva.

—¿Me hablaba, Bertita?

—No se me haga el leso, oiga. Venga para acá...

Santelices titubeó con la mano en la perilla antes de entrar, examinando dos moscas muertas, secas durante años, presas entre el visillo polvoriento y el vidrio. La Bertita estaba en cama todavía, incorporada en medio de lo que parecía un mar de almohadones gordos en la inmensa marquesa. Sobre la mesa del velador había una caja de polvos volcada, una peineta con pelos enredados, pinches, bigudíes, horquillas. Junto a ella vigilaba don Eusebio, con una escoba en la mano y un trapo amarrado a la cabeza.

—¿Que le parece poco lo que hay que hacer que se queda parado ahí como un idiota? —le gritó la Bertita, y el viejo salió a escape a suplir a la sirvienta despedida la semana anterior.

Cuando quedaron solos, la Bertita bajó los ojos y comenzó a lloriquear. Las manos le temblaban sobre la colcha de raso azul. El pecho era como una gran bomba que inflaba, inflaba. Las lágrimas se revenían en las amplias mejillas recién empolvadas; al ver esto, Santelices comprendió que la Bertita se había compuesto especialmente para esperarlo, y quiso salir de la habitación.

—¡Santelices! —oyó de nuevo.

La Bertita lo tenía preso en su mirada, ahora seca.

—Es que...

—Quiere decirme, mire...

—Si yo no...

—...cómo es posible que después de todo lo que yo he hecho por usted...

Y comenzó a lloriquear de nuevo, diciendo:

—Todos esos monos mugrientos...; usted me odia...

—Cómo puede decir...

—Sí, sí, me odia. Y yo que me porté como una madre con usted cuando lo operaron, haciéndole sus comiditas especiales, acompañándolo todo el tiempo para que no se aburriera solo, y acuérdese que le cedí esta pieza, mi propia pieza y mi propia cama, para que estuviera más cómodo y se sanara bien. Usted es el colmo de lo malagradecido...

Santelices recordó con un escalofrío su convalecencia en el dormitorio de la Bertita, después de su operación de úlcera. Se había imaginado ese mes de reposo en cama con sueldo pagado y suplente en la oficina como el paraíso mismo. ¡Todo el tiempo que tendría para examinar con tranquilidad continuada sus álbumes con recortes y fotografías! ¡Todo lo que podría llegar a leer sobre sus costumbres, sobre la distribución geográfica de las especies, sobre sus extraños habitats! Pero sin que él pudiera oponerse, la Bertita lo instaló en el piso bajo cuando él estaba todavía demasiado endeble, en su propio dormitorio, para tenerlo más a mano, y se pasaba el día entero junto a él, ahogándolo con sus cuidados, sin dejarlo solo ni un minuto en todo el día, entreteniéndolo, vigilándolo, viendo en su menor gesto un deseo inexistente, un significado que él no quería darle, un pedido de algo que no necesitaba. Allá arriba, en su propio dormitorio, los ojos brillaron ciegos y los cuerpos perfectos permanecieron planos en el cajón de su cómoda todo el mes entero, aguardándolo. Porque la Bertita no le permitió regresar a su habitación hasta quedar enteramente satisfecha de la mejoría completa de Santelices.

—Pero si yo la aprecio tanto, pues, Bertita...

—¿Me aprecia, ah? —preguntó, dejando de llorar de pronto, mientras agitaba las estampas traídas por don Eusebio—. ¿Ah, sí, ah? ¿Y cree que por eso tiene derecho a romper toda la casa como se le antoja? Y estos monos asquerosos... Por eso es que se encerraba en su pieza; ahora sí que lo descubrí y ahora sí que ya no va a poder hacer ninguna de sus cosas raras sin que yo sepa, y esas cosas no pueden pasar en esta casa, porque pobres seremos, pero somos gente decente. ¡Mírenlo no más, rompiéndole la casa a la gente decente! Usted quiere la breva pelada y en la boca, sí, eso es lo que quiere, igual que todos los hombres, que una, la tonta, se sacrifique por éllos y después hacen cosas raras y ni le dicen a una..., y después la odian...

—Cómo se le ocurre, Bertita, si yo la quiero mucho...

—No venga a hacer risa de mí porque soy una pobre solterona sola, que tengo que aguantar al inservible de mi papá, que no es capaz ni de defenderme.

Usted lo conoce ahora de viejo, cuando no le quedan muchos años de vida, pero viera cómo era antes; todo lo que nos hizo sufrir, por Dios. Un inconsciente, como todos los hombres, como usted: egoísta, creído, cochino, porque estos monos, mírelos, no me venga con cuentos, son una pura cochinada. Y después jugando canasta con una como un santito, para pasarle gato por liebre..., cómo no. Creen que una es lesa. Voy a hacer estucar de nuevo toda su pieza y empapelarla con el papel más caro, y aunque me cueste un millón va a tener que pagar usted. Voy a ir al tiro a ver la mugre que dejó allá arriba, y capaz que hasta me resfríe por culpa suya.

Al ver que el gran cuerpo de la Bertita se alzaba de un salto de entre las sábanas y los cojines, impúdicamente vestido de un camisón semitransparente que le había comprado a una señora de la pensión después de un viajecito, Santelices abrió la puerta y huyó. El olor a pieza encerrada, a polvos, a granadina pegajosa y rosada, a cuerpo flojo de virgen vieja, lo persiguió en la carrera de cuatro cuadras hasta su oficina. Subió los cinco pisos corriendo, porque el ascensor estaba descompuesto, entró sin saludar a nadie y se encerró en su oficina, pidiendo que por ningún motivo lo molestaran, que no pidieran expedientes hasta el lunes, porque hoy debía revisar. Se paseó entre los anaqueles llenos de papelorios. En el alféizar de su ventana unas palomas picoteaban algo y, de vez en cuando, lo miraban. Se sentó en su escritorio y se volvió a parar. Desde la ventana miró el estrecho patio de luz cortado en dos por los rayos oblicuos, las nubes que se arrastraban en el cielo terso de la mañana allá arriba, y la muchacha rubia que jugaba en el fondo del patio, cinco pisos más abajo.

Esperó toda la mañana, no salió a almorzar y continuó encerrado toda la tarde. Lo miró todo una y otra vez, el cielo, los anaqueles, la muchacha que jugaba con un gato, tratando de no pensar, de alejar el momento de la llegada a su casa para encontrar que ahora no tenía nada...

3

Cuando Santelices salió del trabajo esa tarde, se fue a vagar por las calles y alrededor del zoológico, que ya estaba cerrado para el público. Dando una y otra vuelta cerca de las rejas, se detenía bruscamente al distinguir entre la turbia multiplicidad de olores los que le eran conocidos. Desde el encierro de las jaulas nocturnas le llegaban rugidos débiles que se fueron agotando. Pero como no tenía ganas de ver nada, ni de oír nada, se fue en cuanto la noche se cerró bruscamente y siguió vagando por las calles. Comió un sandwich con salsa demasiado condimentada que lo hizo pensar en la posibilidad de otra úlcera. Después se metió a un cine rotativo y se quedó dormido en la butaca. Cuando salió era cerca de la una de la mañana. Con seguridad en la pensión de la Bertita ya no quedaba nadie en pie. Sólo entonces se resolvió a regresar.

En el pasillo lo acogió un olor a papeles quemados, sobreimpuesto al olor de fritura de todos los viernes —pejerreyes falsos—, pero sin lograr borrarlo. Había un silencio muy grande en el caserón, como si nadie nunca lo hubiera habitado. Llegó a su cuarto y se puso el pijama de franela a rayas. Durante un rato se dedicó a buscar con desgana sus estampas y recortes, sus álbumes y sobres, por los cajones, debajo de la cama, encima del ropero. Pero le dio frío y se acostó tiritando, después de hacer unas buchadas con toda tranquilidad, porque sabía, estaba seguro antes de llegar, que la Bertita lo había destruido todo. Las había quemado. Durante el día en la oficina estuvo pasándoles revista en su mente para despedirse de ellas. ¿Qué más podía hacer? Cualquier protesta o reivindicación era imposible. Al evocar las estampas se veía a sí mismo como un niño muy chico y a la Bertita parada junto a él, dando vuelta a las páginas de los álbumes, señalándole las ilustraciones sin dejar que las tocara. Su presencia forzada junto al hechizo de las bestias fue aplastando las imágenes evocadas, desangrándolas, dejándolas reducidas al recuerdo de las circunstancias de la compra, al peso de los libros, a la dimensión variada de las fotografías brillantes, a papel, a cartulina, a colores de imprenta. La esencia de las fieras se resistió a acudir. Era como si Santelices hubiera ido quemando mentalmente cada una de las estampas en una llama que después se apagó.

Tomó la costumbre de levantarse al alba para evitar a la Bertita y a don Eusebio. Regresaba muy tarde a desplomarse agotado en su cama y dejar que un sueño pesante y sin imágenes se apoderara de él. Se alimentaba de sandwiches, de maní, de caramelos, de modo que su digestión, siempre tan delicada, se descompuso. En la oficina era el mismo de siempre: cumplidor, decoroso, ordenado. Nadie notó ningún cambio. Como era una temporada de poco trabajo, tenía tiempo de sobra para no hacer nada, para sentarse junto a la ventana y mirar el cielo, para darles migas a las palomas que acudían al alféizar, para escudriñar los techos de la ciudad por un costado abierto del patio o para entretenerse observando a la muchacha rubia que en el fondo del patio de luz, cinco pisos más abajo, parecía estar siempre ocupada en algo: lavando ropa, regando una mata apestada, jugando con el gato o peinando largamente sus cabellos.

A veces pasaba frente a casas que tenían pegados algún letrero que decía: «Se arriendan piezas con pensión». Entraba a examinar lo ofrecido, figurándose que le sería posible cambiarse de casa. Conversaba un rato con la patrona, que quedaba encantada con la respetabilidad tan clara de su posible pensionista, pero Santelices siempre terminaba encontrando algún defecto, la luz del baño, la escalera muy larga, el cielo del dormitorio descascarándose, para pretextar una negativa. Sin embargo, no se engañaba: sabía que no era pretexto. Sabía que jamás se iría de la casa de la Bertita. Era demasiado difícil comenzar a fabricar una nueva relación con alguien, con cualquiera que fuese. La idea le dolía. Le causaba una aprensión muy definida. Además, ya tenía edad suficiente como para que fuera lícito prendarse de lo cómodo y pagar un alto precio por ello. Mal que mal, saber que todas las noches podía jugar unas manos de canasta sin sus dientes postizos, estar seguro de que nunca les faltaría un botón a sus camisas, que sus zapatos estarían limpios en la mañana, que se respetaban sus irregularidades estomacales, sus gustos, sus pequeñas manías, era algo tan sólido que sería una tragedia para él abandonarlo.

Pero todavía no lograba resolverse a regresar a la casa a una hora en que un encuentro lo obligaría a tomar posiciones definidas respecto a sus estampas perdidas. Al fin y al cabo, era innegable que había estropeado la pared. Tenían derecho a represalias. Cada vez que se acordaba sentía algo caliente que hozaba dentro de sus tripas...; estaban quemadas. Pero prefería cualquier cosa antes que un enfrentamiento con la Bertita —no podía extender la mano para pedirle lo que era de él—. Ganas de volver, sin embargo, de retomar el canon de su existencia ordenada, no podía decir que le faltaban. Meditaba estas cosas mientras numeraba expedientes o junto a la ventana de su oficina. En la ventana de enfrente habían pintado un letrero nuevo: «Leiva Hermanos». ¿Quiénes serían? Allá abajo, en el fondo del patio de luz, la muchacha cosía. Era una lástima no poder verle la cara, que debía ser de un extraordinario embeleso al jugar con su gata; sabía que era gata porque había tenido cría y ahora eran cinco, tal vez seis, los animalitos que circulaban alrededor de la muchacha, y ella les daba leche y les hacía mimos.

Fue tal vez el embeleso que le procuró el nacimiento de los gatitos lo que le hizo olvidar sus temores. Esa tarde se dirigió derecho a su casa, después del trabajo, como si nada hubiera sucedido, con la intención de que su naturalidad borrara toda exigencia de su parte y anulara todo reproche de parte de la Bertita. Jamás había existido, tenía que implicar, un episodio desagradable entre ellos. Por lo demás, como iba a tener que entregar las armas tarde o temprano, más valía hacerlo ahora, antes que su digestión se resintiera definitivamente y que sus pies reventaran de tanto caminar por las calles.

Entró a la casa silbando. Se dio cuenta de que al oírlo la Bertita cortaba repentinamente el poderoso chorro de agua del baño para salir a su encuentro. Santelices subió la escalera sin mirarla, y desde el rellano se fijó en ella, que lo miraba pasmada desde abajo, secándose los brazos con una toalla.

—Ah, Bertita... —exclamó Santelices—. Buenas tardes...

Y siguió subiendo sin escuchar lo que la Bertita decía.

Al llegar a su cuarto se tendió en su cama sonriendo. Resultaba intensamente placentero este cuarto amplio, aunque un poco oscuro; esta nueva vida sin siquiera el peligro del papel impreso, sin la atormentadora invitación que desde tantos años él mismo venía extendiéndose día a día, noche a noche, sin participar más que de ecos alejados e inofensivos. Se había adormilado un poco, cuando sintió un llamado muy suave en su puerta.

—¿Santelices?

—¿Bertita? Pase no más...

Santelices sintió cómo la mano de la Bertita aban-

275

donaba bruscamente la perilla al oír su invitación...

—No, no, graçias. No quiero molestarlo. Usted tendrá sus cosas que hacer...

Santelices no respondió para ver qué sucedía. Después de unos segundos, la Bertita siguió:

— ...es para decirle que la comida va a estar lista como en un cuarto de hora, así que...

Hubo una pausa, tentativa que Santelices no llenó.

—...hice de ese guiso de pollo que a usted le gusta tanto...

—¿Cuál? —preguntó él.

La mano ansiosa de la Bertita volvió a posarse en la perilla.

—Ése que vimos juntos ahora tiempo en una revista argentina, ¿se acuerda?; y que para probarlo lo hice para el día de mi papá...

—Ah, bueno, en un ratito más bajo...

—Regio entonces; pero no se apure. Es un cuarto de hora...

Le pareció que la Bertita permanecía junto a la puerta un minuto, no, un segundo más de la cuenta antes de regresar por el pasadizo tarareando algo. Aguardó un rato, se mojó la cara en el lavatorio, botó el agua en el balde floreado, se arregló la corbata y bajó.

El pollo estaba sabrosísimo. Había que confesar que la Bertita tenía muy buena mano para la cocina cuando se dignaba preparar algo. Pareció marearse con el halago de Santelices:

—Tiene mano de ángel, Bertita, mano de ángel. Feliz mortal el que pase la vida al lado suyo...

Se sirvió tres presas.

Pusieron la radio, el programa «Noches de España», que don Eusebio celebró con un entusiasmo sospechosamente excesivo, como obedeciendo a una consigna. La Bertita lo miró severa, y cuando el viejo se puso a contar chistes andaluces bastante subidos de color, la

Bertita lo interrumpió para proponer una canasta. Todos celebraron la idea como brillantísima y sacaron los naipes. Las partidas de esa noche fueron amenas, risueñas, rápidas. Santelices ganó con facilidad, sin que la Bertita ni don Eusebio protestaran.

—Mire, toque cómo está de llena su bolsita, Santelices. ¿Qué rico, no?

—¿Me la guarda usted, por favor?

—Claro, yo se la cuido...

Al finalizar la semana, la bolsita de Santelices estaba repleta y las otras dos, escuálidas. Don Eusebio parecía un poco picado de tener que invitar al cine ese domingo y habló poco, enfrascándose en la página hípica del diario hasta que su hija se la arrebató. Santelices eligió la película *Volcán de pasiones*, como homenaje a la Bertita, que durante toda la semana estuvo hablando de las ganas que tenía de verla, porque la misma pensionista que le había vendido la camisa nylon de contrabando le contó que se trataba de una mujer preciosa que parecía mala, pero que en el fondo era buena. Tanto mimaron a Santelices esa semana que se sintió con fuerzas para pedir prestados a don Eusebio sus anteojos de larga vista, los que usaba para ir a las carreras antes de que la Bertita lo redimiera de ese vicio que tantas lágrimas le había costado. Santelices explicó que era para entretenerse mirando por la ventana de su oficina, en esa época de poco trabajo.

Los anteojos eran, en realidad, para mirar por la ventana. Específicamente para mirar a la muchacha que jugaba en el patio con los gatos todo el día, todos los días.

Cuando llegó a la oficina se fue derecho a la ventana, pero le costó encontrar el foco preciso. El ansia trababa sus manos y lo hacía pensar que siempre podía haber un foco mejor. Por fin quedó satisfecho. Era una muchacha de unos diecisiete años, de lacios cabellos rubios, delicada, con una fatal cifra de melancolía en el rostro que parecía decir que no pertenecía a nadie ni a nada. Santelices se conmovió. Alrededor de la muchacha jugueteaban los ocho o nueve gatos overos, romanos, rojizos, hijos de la gata enorme que dormía en su falda. Santelices sintió un sobresalto al ver lo grande que era la gata. Examinó el patio con los anteojos. Pero ¿no había otro gato muy grande agazapado en la sombra de la artesa? ¿Y qué eran esas sombras que se movían detrás de las matas? A medida que avanzó la tarde, Santelices vio que por encima de la tapia, desde los alféizares, y descolgándose de las ramas de un árbol que antes él no había notado, llegaron al patio varios gatos más, que la muchacha acariciaba sonriente. ¿Qué sucedía en ese patio cuando era de noche y todas las oficinas del edificio se cerraban? Sabido es que los félidos se tornan traicioneros en la noche, que algo les sucede, que los llena una ferocidad que se aplaca con el día. ¿Permanecía siempre allí la muchacha rodeada de los félidos indolentes?

Entre los mimos prolongados de su casa, le era fácil olvidar los sobresaltos que le proporcionaba la muchacha. Por lo demás, y éste era su secreto, si las delicadezas de la Bertita para con él llegaban a terminarse, como siempre y detrás de cada una de sus atenciones temía, quedaba siempre el consuelo de esa amistad a la distancia con la muchacha rubia que vivía en el patio de luz. Fue tanta la seguridad que la conciencia de esto le proporcionó, que una noche, cuando supo que había charquicán de comida, Santelices dijo:

—No me gusta el charquicán, quiero pollo.

—Pollo dos veces por semana, ni que fuera corredor de la bolsa...; mírenlo, qué se cree... —respondió la Bertita.

—Sí, pero tengo ganas de comer pollo.

La Bertita se enojó:

—Oiga, mire, se le está pasando el tejo de exigente, Santelices; todo porque sabe que nosotros a usted...

278

Algo se había ido descubriendo en los ojos de la Bertita, que de nuevo, después de estos meses, quedaron peligrosamente desnudos. Mientras se subía las mangas del delantal floreado no pestañeó ni una vez y después se sirvió un vaso enorme de granadina. Santelices dijo rápido, antes de que la mirada extinguiera su osadía:

—Oiga, Bertita, cuénteme una cosa. ¿No se acuerda de unos monitos míos, unos cuadritos que ahora tiempo puse en la pared de mi pieza y después no los pude encontrar? ¿No sabe qué se hicieron?

A la Bertita casi se le cayó el vaso de la mano. Sus ojos duros se disolvieron al esquivar la mirada de Santelices:

—Ay, por Dios, que friega usted con sus monitos, ¿no? ¿Para qué se le ocurre hablar de eso ahora, cuando hace como dos meses? ¿No le da vergüenza de andar preocupado con jueguitos de chiquillo chico? Después de..., bueno, de eso, estuve hablando con mi papá y como parece que usted piensa quedarse definitivamente con la pieza...

Él la venció diciendo:

—Mm, puede ser...

Los ojos de la Bertita se fijaron en él y ya no volvieron a abandonarlo.

—...así que decidimos que no valía la pena volver a empapelar ni cobrarle nada. No se preocupe...

—Claro ustedes siempre tan dijes...

Esperó que la Bertita esbozara un suspiro de alivio para cortárselo insistiendo:

—Pero, y las estampas.

—Ay, pues, Santelices, por Dios; déjese de leseras. ¿Qué sé yo qué habrá hecho con ellas mi papá? Le digo que a él se las di. Claro que... no sé si a usted le va a parecer mal, pero fíjese que yo me quedé con una en colores pensando que a usted no le importaría y la puse en ese marquito de espejo azul que se le quedó a esa pensionista del 8 que se fue. ¿Quiere pasar a mi pieza a verla? Se ve un amor; le diré cómo se llama el animal, entre todas esas hojas tan grandes y esas flores raras. Fíjese que una vez vi una película...

Santelices salió sin despedirse.

Esa tarde se quedó en la oficina hasta que todos los demás se fueron. A medida que avanzaba la noche, en el ala de enfrente, una a una, se fueron apagando todas las luces hasta que el edificio de cemento adquirió una resonancia propia, de inmensa caja vacía. Una bocanada de aire cargada de insinuaciones espesas entró por la ventana abierta. Estaban sólo él y la muchacha incauta entre los gatos, cinco pisos más abajo. Las sombras se hundieron, cayendo bloque sobre bloque en el patio exiguo, iluminado por el fulgor de ojos verdes, dorados, rojos, parpadeantes. Santelices apenas divisaba las formas a que pertenecían con la ayuda del anteojo. Los animales eran docenas, que circulaban alrededor de la muchacha: ella no era más que una mancha pálida en medio de todos esos ojos que se encendían al mirarla codiciosos. Santelices le iba a gritar una advertencia inclinado por la ventana; pero, enfrente, el vidrio de «Leiva Hermanos» se encendió de pronto, se abrió con un chirrido, y el desparpajo de una risa vulgar atravesó de parte a parte el silencio del edificio. Santelices buscó su sombrero en la penumbra y se fue.

Esa noche no llegó a comer a su casa. Al día siguiente, sin embargo, se fue derecho desde la oficina, buscó a la Bertita y le dijo que como había encontrado otro lugar donde vivir, se pensaba cambiar al mes siguiente y ella podía disponer de la pieza para esa fecha.

—Pero, Santelices, ¿por qué? ¿Qué le hemos hecho? —balbuceó.

—Nada...

—Entonces, no entiendo...

—Es que una compañera de oficina viuda de oficial me cede una pieza en su departamento, porque no tiene niños, y el departamento es lindo, de lujo, viera qué moderno. Yo sería el único pensionista. Imagínese la comodidad, y sobre todo la señora es tan simpática. Hasta toca guitarra...

Lívida, la Bertita acezaba como si algo estuviera haciendo presión dentro de ella, llenándola, hasta que estalló:

—Ustedes..., siempre se van donde más calienta el sol, malagradecidos. Váyase, váyase, si quiere..., a mí, ¿qué me importa? Malagradecido, después de como lo hemos tratado en esta casa. ¿Qué me importa? Usted es un cochino, como todos los hombres, que no les interesa más que una cosa..., cochino, cochino...

A medida que repetía las palabras comenzó a gemir, a deshacerse, llorando desesperada. Un muro que se había alzado en Santelices le impidió conmoverse. No la odiaba, ni siquiera la quería mal, ni siquiera tenía planes para irse a otra pensión. Pero vio que esto era lo que desde hacía mucho tiempo quería presenciar por sus propios ojos: la Bertita destrozada, llorando sin consuelo por causa suya. Antes que las olas de su propia compasión aumentaran y destruyeran el muro, salió de la pieza. Afuera, ya no le importaba nada, absolutamente nada. Se fue a acostar.

Se tendió en la cama sin desvestirse. Alguien roncaba en la habitación contigua. En el cuarto del frente despertó un niño y le dijo a su madre que quería pipí. Algunos rezagados entraban a sus habitaciones en la punta de los pies, despertando las viejas tablas dormidas del piso. Contempló los muros donde poco tiempo atrás campearon una noche sus bestias obedientes, destruidas por la Bertita. No le importaba nada, porque la selva crecía dentro de él ahora, con sus rugidos y calores, con la efusión de la muerte y de la vida. Pero algo, algo sí le importaba, debía importarle. En el fondo de su imaginación, como en el fondo de un patio muy oscuro, fue apareciendo una mancha pálida que

creció aterrada ante la amenaza que venía rodeándola.
Ella creía que eran sólo gatos, como el de la tapa de
su caja de bombones con la cinta celeste. Pero no, él
debía gritarle una advertencia para salvarla de ser de-
vorada. No pudo dormir porque sentía la imploración
de la muchacha dirigida a él, sólo a él. Se revolvía sobre su cama, vestido, sin lograr que los animales peligrosos quedaran exorcizados por sus esfuerzos. Se levantó, hizo unas buchadas, porque tenía la boca amar-
ga, y se dispuso a salir. Bajó la escalera sin importarle
que sus pasos despertaran a la pensión entera. Tenía
prisa. Al pasar frente a la pieza de la Bertita se encendió la luz y oyó:

—¿Santelices?

Se quedó parado sin responder.

—¡Santelices! ¿A dónde va a esta hora, por Diosito
santo?

Después de unos segundos de silencio, respondió:

—Tengo que salir.

Al cerrar la puerta oyó un gemido como de animal
que rajó la noche:

—¡Papá!

Afuera, el aire helado recortó su forma, separándolo
de manera definitiva de todas las cosas. A pesar del frío
tranquilo, sin viento ni humedad, se sacó el sombrero
y sintió el aire acariciar su nuca y su calva, su frente
y su cuello, apartándolo, salvándolo de toda preocupación que no fuera por la muchacha que iba a ser de-
vorada.

Subió los cinco pisos de una carrera. Sin saber
cómo, abrió puertas y más puertas, hasta llegar a su
oficina. En la oscuridad se allegó a la ventana y la
abrió de par en par; enorme ventana que descubrió sobre su cabeza toda la oscuridad de un cielo desteñido,
en que la luna caliente, roja, de bordes imprecisos, como
un absceso, parecía que ya iba a estallar sobre las copas
de los árboles gigantescos. Ahogó un grito de horror:

el patio era un viscoso vivero de fieras, desde donde todos los ojos —amarillos, granates, dorados, verdes— lo miraban a él. Se llevó las manos a los oídos para que la marea de rugidos no destruyera sus tímpanos. ¿Dónde estaba la muchacha? ¿Dónde estaba su forma ahogada en esa vegetación caliente, en ese aire impuro? Más y más tigres de ojos iluminados saltaban desde la tapia al patio. Los ocelotes, los pumas hambrientos arañaban los jirones de oscuridad entre las hojas violeta. Las onzas destrozaban a los linces, las panteras se trepaban a los árboles que casi, casi llegaban a la ventana desde donde Santelices escudriñaba ese patio en busca de la muchacha que ya no veía. Todo crujía, rugía, trepidaba de insectos enloquecidos por el peligro en el aire venenoso y turbio de la selva. Desde una rama muy cercana, un jaguar quiso morder la mano de Santelices, pero sólo se apoderó del anteojo de larga vista. Una pantera enfurecida, de multifacéticos ojos color brasa, rugió frente a su cara.

Santelices no tenía miedo. Había una necesidad, un imperativo que era como el reencuentro de su valor en un triunfo posible, la definición más rica y ambiciosa, pero la única por ser la más difícil. Las ramas se despejaron allá abajo, en el fondo más lejano. Santelices contuvo la respiración: era ella; sí, ella que le pedía que la rescatara de ese hervidero pavoroso. Animales cuyos nombres ignoraba se arrastraban trepándose por las ramas estremecidas y los pájaros agitaban sus plumajes de maravilla entre los helechos monstruosos. Con las manos empavorecidas espantaba a los bichos calientes de humedad que chocaban contra su rostro. Toda la noche era de ojos fulgurantes; arriba, en el cielo, a través de las ramas gigantes que lo ahogaban, y allá abajo, en la borrasca de fieras que se destrozaban mutuamente. El aire espeso de la noche, iluminada apenas por una luna opaca —¿o era un sol desconocido?—, venía cargado de aullidos presos en su densidad. Allá estaba la muchacha esperándolo; tal vez gemía; no podía oír su voz en medio del trueno de alardios, rugidos, gritos, pero tenía que salvarla. Santelices se trepó al alféizar. Sí, allá abajo estaba. De un grito espantó a una fiera de la rama vecina, y, para bajar por ella, dio un salto feroz para alcanzarla.

ÍNDICE

Prólogo 7
Veraneo 25
    1 27
    2 38
Tocayos 45
El güero 55
Una señora 79
Fiesta en grande. 89
Dos cartas 107
Dinamarquero 119
El charlestón 135
La puerta cerrada 151
Ana María 181
    1 183
    2 188
    3 194
Paseo 203
    1 205
    2 208
    3 215
    4 219
    5 225
El hombrecito 231
«China» 247
Santelices 255